絶対に
損をしない

高桑 良充
TAKAKUWA YOSHIMITSU

不動産投資の教科書

新常識 1 新築物件は購入しない

▼不動産投資の常識を取り払おう

本書のテーマは、「絶対に損をしない不動産投資」です。絶対に損をしないためには、これまで皆さんが当たり前と考えてきた「不動産投資の常識」を、最初に取り払っていただく必要があります。

もしくは、すでに聞いたことがある内容であっても、その背景を知っているのと知らないのとでは、腹落ちの仕方が違ってくるでしょう。

最初の新常識は、「新築マンションには投資しない」です。

新築物件は、いったい何がよくないのでしょうか?

▼不動産投資は「気持ち」との勝負

不動産投資のほとんどが、「気持ち」との勝負で決まります。建物のデザインが都会的で、駅からの距離が近い新築物件、といった条件を好む気持ちはわかります。また、新築物件のほうが、まわりの人たちからの賛成を得られやすいでしょう。

誰の賛成を得やすいのかといえば、融資をする銀行や、本人以外の人たちです。いいデザインで駅から近く、しかも新築であれば、多数決で「それなら大丈夫」という票を多く獲得できるでしょう。

投資の世界でいえば「順張り(多くの人がよしとする投資スタンス)」ということで、みんな

がいいイメージを持つもの、相場が高いものを気持ちよく感じるものです。「赤信号、みんなで渡れば怖くない」という日本人の精神が、投資にも作用しているといえます。

ところで、「新築」や「駅近」といった条件は、どちらかといえば「自宅」の購入動機に近いとは思いませんか？

わたしがおすすめする物件の属性を先にお伝えすると、「中古の、1棟のおんぼろ物件」です。

年収1000万円を超える人が、わざわざ中古のおんぼろ物件を自宅用として買うことはないでしょう。つまり、自らの身の丈に合った物件を投資用不動産として選びがちなのです。

でも、不動産投資は例外といえます。いままでご自身が判断してきた常識の「外」に、いい物件があるのです。気持ちとしては新築の物件を買ってしまいやすくなりますし、銀行から融資を受けやすいということもあるとは思いますが、じつはこの考えでは「高い買い物」をしてしまうことになります。

しかも、投資家としての満足度が上がることで、ご自身が「高い買い物をした」という認識がないまま、購入してしまうことが多いのです。

▼投資物件は自宅選びとは分けて考える

投資物件として高い買い物をした場合、将来の事業計画という側面から見たときに矛盾が生じてしまいます。

データによれば、新築の場合は購入時点から20年で、全国平均42%家賃が下がるといわれています。もっとも、首都圏で考えればこれはかならずしも正しいデータとはいえません。それでも、感覚的には15%から20%、家賃が下がると考えるべきでしょう。

つまり、1億の物件を6・5%想定で買ったにもかかわらず、5・5%になってしまうことで、投資効率が絶対的に下がるのです。ちなみに、築古の場合は家賃の変動率が5%未満です。

たとえばあなたが経営者であるとして、ある会社のM&Aをしようと考えているときに、「いまからこの会社は、20年をかけて売上が20%ダウンします。社長の身なりはキレイで、フェラーリに乗っています。人当たりもいいです」という会社、そして「売上の変動は5%くらいで、ほとんど変動はありません。ただ、社長の身なりは決してキレイではありません」という2つの会社がある場合、どちらの会社を買収しようと思うでしょうか?

社長の身なりはよくないとしても、売上が変わらない会社を買いたいと絶対に思うでしょう。

あなたはどちらの会社を買収したいですか？

・社長の身なりはキレイ
・社用車はフェラーリ
・20年間で売上が20％ダウン

新築
（自宅として住むならいい）

・社長の身なりはキレイではない
・20年間で売上の変動は5％ほど

中古のおんぼろ物件
（投資用ならこちらがいいはず）

「自宅」と「投資用不動産」は完全に分けて考えよう！

このようなビジネス的観点で見たとすれば、新築はかならず売上が下がるものなので、買わないはずです。高値で買ってしまうのは、ビジネス的な観点からの判断ではなく、「新しいから大丈夫だろう」と気持ちでごまかしてしまうからではないでしょうか。

つまり、**実際に居住する「自宅」と収益をあげるための「投資用不動産」は、完全に分けて考えなければいけない**のです。

このように、住まいと投資を同じものとして考えてしまいがちなところに、不動産の怖さがあるということを知っておきましょう。

新常識のひとつ目、「新築物件は購入しない」について、おわかりいただけたでしょうか。

新常識2

物件は見に行かない

▼見た目よりも結果を重視する

不動産は、「人生で一番高い買い物」といわれます。投資用物件も、数千万円、高ければ億単位のものもあるでしょう。「高い買い物をするのに、見に行かなくてもいいというのは、どういうこと？」と思う人も多いでしょう。

「新常識1」でお話しした通り、わたしがおすすめするのは「中古のおんぼろ物件」です。なぜなら、築年齢が古い物件を購入するほうが、投資効率がいいからです。ここについては、追ってお話ししますね。

とくに投資の経験の浅い人が、「物件を気に入るだろうか」と思って自宅を見るような感覚で内見に行くと、大間違いの元となります。決して気持ちのいい見栄えではないからです。

でも、決して気持ちがよくないこと、誰もやっていないところにビジネスチャンスがあるとわたしは考えています。

みんなが「よし、この物件はキレイだ。やった！」となるようなものは、むしろ投資しないほうがいいでしょう。

一方で、「中古のおんぼろ物件」は、見に行ったところでテンションが下がるだけなので、行く必要はありません。結果さえ出してくれれば、それでいいのではないでしょうか。

２つ目の新常識は、「物件は、見に行かない」ということです。

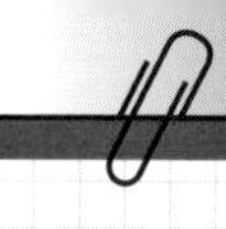

新常識3 ワンルームマンション投資は意味がない

▼なぜワンルームマンション投資には意味がないのか

不動産投資で一番メジャーなものは、「ワンルームマンション」といった区分マンションへの投資ですね。

率直にいえば、ワンルームマンションへの投資は意味がありません。「え？ どうして？」と思われましたか？

わたしがワンルームマンション投資には意味がないと思う理由は、規模がとれないからです。

▼不動産投資で大切なのはビジネスを単独で拡大すること

ワンルームマンションを売るときのセールストークを、ご存知でしょうか？ とくに新築マンションを売る場合、ほぼすべてのセールストークは「節税」と「保険」です。そして、「将来資産をつくる」ということです。

不動産投資のビジネスをはじめようと思っているのに、節税と保険を目的としたところで、ビジネスにはなりませんよね。ビジネスという観点で考えれば、ワンルームマンションは利回りが低い、価値が下がる、インカムロスとキャピタルロスを起こす、というデメリットがあります。

ワンルームマンションの業者さんは知ってか知らずか、ビジネスとは関係ない節税と保険というところへ価値観を持っていくことで、デメリットからピントをずらしているように感じるのです。

なぜピントをずらすのかというと、節税効果や保険の効果をうたうことで、「損をする」というところから「役に立っている」というところへ商品価値を切り替えようとしているからでしょう。わたしとは、不動産投資に対する立ち位置が違います。

わたしが不動産投資で大切に考えているのは、**本業（普段のお仕事）と連動しないビジネスモデルを構築し、このビジネスを単独で拡大していけるような状態を速やかにつくる**ということです。

▼節税と保険の効果が本筋ではない理由

保険と節税は、「本業のお金ありき」であり、本業と不動産投資が連動してしまっている考え方といえます。

たとえば年収２０００万円の会社員の方が「６００万円の税金がもったいないから節税をして、納税額を３００万円にしよう」と思ったとします。ところがこの人の場合、年収の２０００万円がなくなった瞬間から、節税の作用は不要となります。

こうなると、不動産も連鎖的に不要になるのではないでしょうか。これが、本業と不動産投資が連動性を持ってしまっている典型的な例です。

もうひとつ、「本業が２０００万円ある人は、保険に入らなければいけない。万が一自分が亡くなったときに、家族にマンションを残してあげたほうがいい」というセールストークもあります。一見もっともな意見に聞こえますよね。

そもそもいまのワンルームマンション投資は、

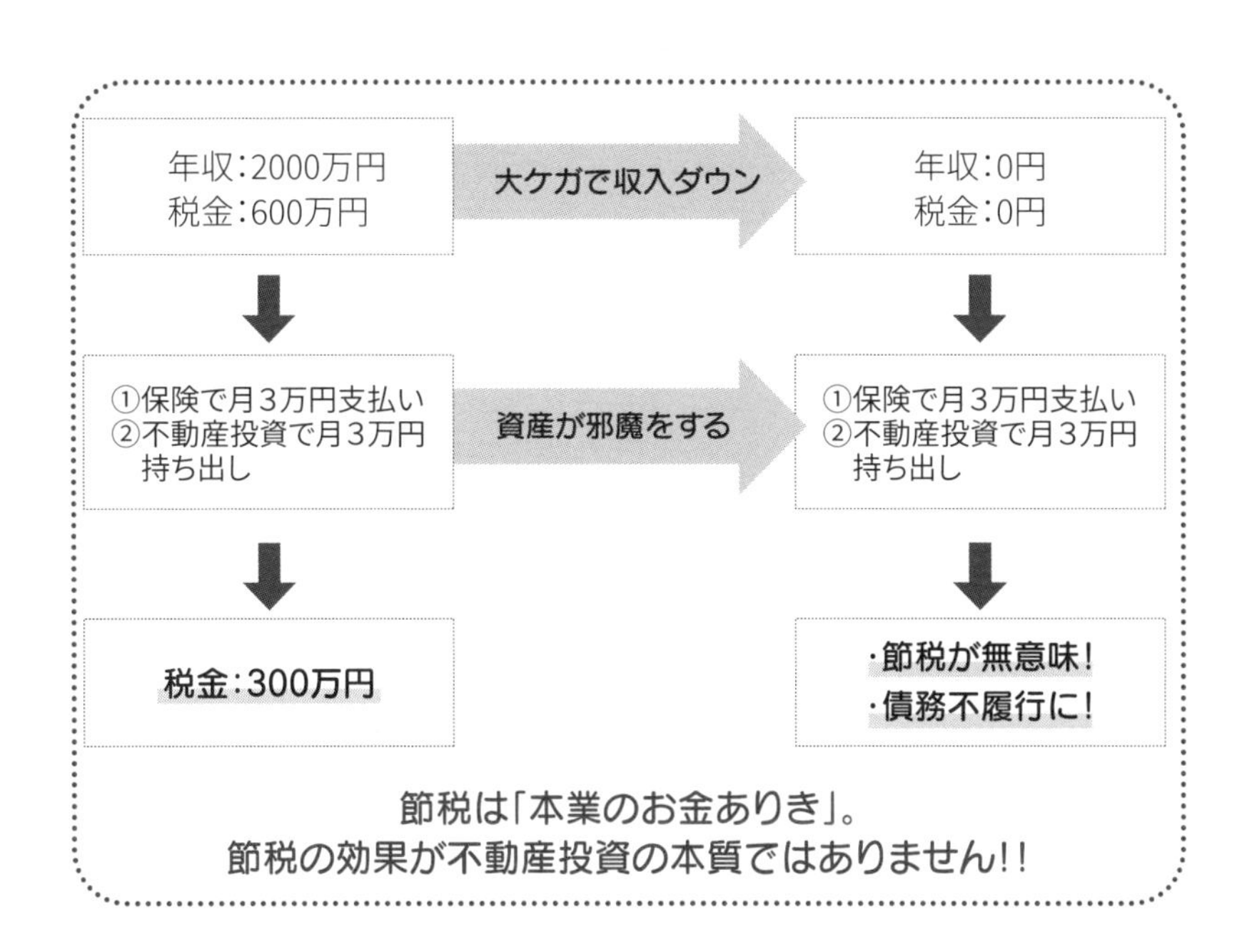

じつは月々２～３万円くらいの持ち出しが発生します。その持ち出し分について、「生命保険も、自分の資金を持ち出して払うもの。解約返戻金という資産も残るし、正しいのでは？」と考えるのです。亡くなってしまうことを想定するなら、その考えもわからなくはありません。

ところが、亡くなるのではなく、数ヵ所を骨折するような大ケガをして全治１年ほどとなったときに、この「資産」が邪魔をします。なぜなら、収入が下がった場合に持ち出し分を負担できず、債務不履行になってしまいかねないからです。そもそも保険だったのにもかかわらず、です。

仮に３部屋を持っていたとしたら、１部屋あたり月２万円、合計で月６万円の持ち出しです。もし長期休業で収入が下がっていれば、支払いきれないでしょう。売ろうと思っても、ほとんどどの場合、値段が下がっています。売却価格がローンの返済分に満たなければ、その差額も持ち出しとなります。

▼ワンルームマンションの区分所有は20年前のビジネスモデル

ワンルームマンションを区分で持つのは、20年前のビジネスモデルであり、いまはもう時代遅れだとわたしは考えています。

広告は「ワンルーム投資をしてみたい」と思わせるような見せ方になっています。タレントさんを広告塔として起用したり、スポーツチームのメインスポンサーになったり……。

ただ、不動産投資で大切なのは、投資家の方々が儲かることだということを忘れてはいけません。投資会社だけが儲かる状況というのは、賛同できません。旧態依然のビジネスモデルです。

たしかに20年前は利回りが６％前後で、いまよりも２％ほど上回っていました。銀行からの調達金利も２％ほどでしたので、わたしが基準と考える「利回りと調達金利の差が４％以上」という不動産投資のルール内に収まっていました。

ところが、ワンルームマンション投資がメジャーになりすぎて、物件に対してお金が集まるようになり、物件価格が上がりました。物件価格が上がったために、全体の利回りが下がったのです。これでは話が変わってきます。

▼いまのワンルームマンション投資では、誰も得をしない

ワンルームマンションに関する、核心のお話をします。ワンルームマンション投資をする人は、自己満足度を上げるために不動産投資をし

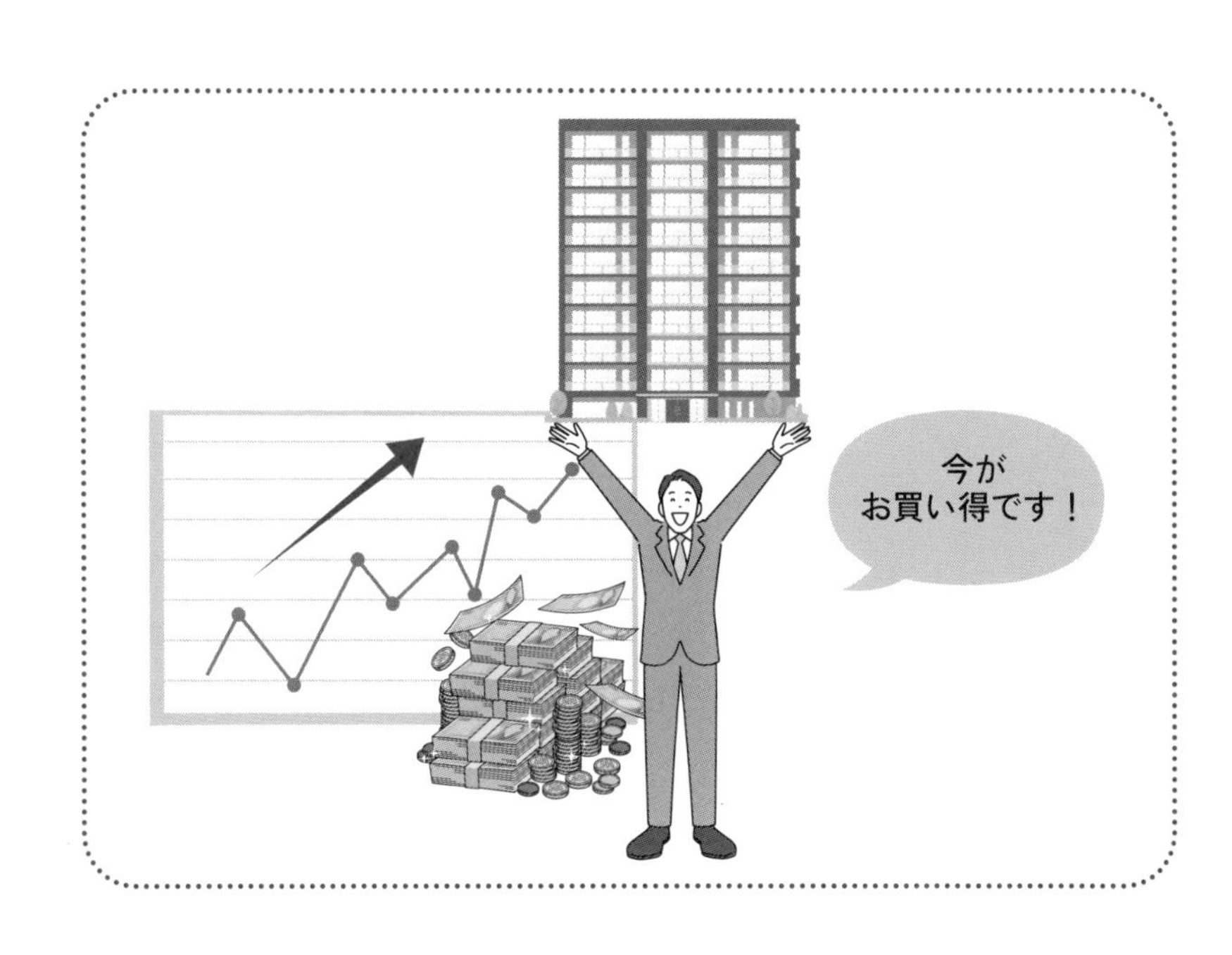

ているので、価格が高いことに気づいていません。ですから、相場が高くなりすぎているにかかわらず、節税と保険の効果にも納得して購入するのです。

ローン期間が延びたことも、ワンルームマンション市場に影響を与えています。建物がよくなったという理論で、昔は最長で35年だったローンの期間が45年になったのです。

そうすると、単月のローン返済額が減るので一見いいように思えるのですが、その分高額な物件を買うことになり、結局キャッシュフローの赤字幅は減りません。毎月２万円くらいの赤字です。しかも返済期間が長ければ、元金の償還が少ないローンを組んでいるということになります。

結局のところ、いまのワンルームマンション投資では誰も得をしません。それでも買うのは、節税や保険といった耳触りのいい言葉に惹かれることもありますし、3500万円程度の商品なら自分で支払いきれると本人も銀行も思うからです。

▼安心なほうへ逃げず、逆張りの発想で

投資は、絶対にしなければいけないものではありません。そして、いますぐにはじめなければいけないものでもありません。

将来の自分のために少しずつ積み重ねることを繰り返すなかで、気づけばまわりの人と比べて信じられないくらいの差になっているものなのです。

「いつか機会があればやろう」「いい物件があればやろう」と、いますぐに購入しようという動機が低いために、つい安心なほうへ逃げてしまいがちです。そして、規模が小さい、築年が浅い、建物がピカピカ、タレントが宣伝しているものへと逃げてしまうのです。

投資家の方々に厳しい判断を迫るからこそ、わたしたち専門家は、投資家の方々が気持ちに振り回されずに判断できるようなデータを提供しなければならないと考えています。

ひとついえることは、投資用物件を、新しく買った洋服を人に自慢するような、ステータスシンボルとして考えないことです。

もっとも、「俺、投資用マンションを買ったんだ。神宮前の駅から10分なんだよね」と友達に言うのと、「俺、投資用マンションを買ったんだ。相模原の駅から30分で、おんぼろのアパート」と言うのとでは、後者の場合、「え？　大丈夫なの？」と言われるでしょう。だからこそ、いいのです。みんなが違和感を感じる商品のほうが、いいものがあるに決まっているからです。

新常識 4

見栄えよし・駅近の「キラキラ物件」は買わない

とくに優先順位が低いのは、「見栄え」です。自宅を取得するのであれば、気持ちや利便性の満足度を高めることが重要ですが、収益物件の場合は効率ありきです。

見た目の華やかさに目を奪われて、見る目が曇らないようにしましょう。

▼華やかな物件も実際はハリボテ

ここまでお話ししてきた通り、不動産投資は「気持ち」との勝負です。

大切なのは、見栄えのいい、駅近のキラキラ物件「ばかり」を買わない、ということです。

もちろんそのような物件を買ってもいいのですが、「駅近だから買います」「かっこいいから買います」といった動機で買うようなことはやめましょう。

ちなみに「キラキラ物件」というのは、たとえばオートロックがあって、宅配ボックスがあって、RCで、管理人が巡回しているような、いわゆる「豪華物件」のことです。

新常識5　現金を貯めることばかりを考えない

▼100歳まで生きるのなら、最低1億円の資産を確保すべき

新常識5としてお伝えしたいのは「1000万円が貯まったら不動産投資を考えましょう」ということです。

前提となる考え方は、「老後に向けて、1億円を財産として得ておかなければ、資金が足りなくなる」ということです。これはどういうことでしょうか。

いまの制度で考えれば、会社員の方々は65歳で退職し、そこでお給料が途絶えます。その代わりに、社会保障、つまり老後の年金を受け取ることになります。この年金収入の平均は年間約200万円程度です（出典：厚生労働省「2021年国民生活基礎調査の概況」）。

南関東に住んでいれば、年間450万円くらい使うことになるので、老後の年金200万円に対して、1年あたり250万円の赤字になるということです。10年で2500万円、20年で5000万円の赤字、30年で7500万円の赤字となります。

そして、日本人の平均寿命が84歳です。100歳まで生きるとすれば、30年は赤字が累積するので、7500万円を貯めてあればどうにかなるのかもしれません。ただし、年平均250万円の赤字に加えて突発的な支出があれば、さらに赤字は拡大します。そうすると、やはり1億円を確保しておかなければ安心できませんね。

南関東在住なら老後は１億円が必要

年金：200万円
支出：450万円

△250万円

30年（65歳〜95歳）
…△7500万円

突発的な支出（病気・介護）を合わせると、１億円確保したい

30年で１億円を貯める場合

１億円÷30年＝約330万円
（月27.5万円）

5000万円なら…

5000万円÷30年＝約170万円
（月14.0万円）

30年間続けることは困難…

▼働いてお金を貯めるのは効率が悪い

それでは、１億円を貯めるためにどれくらい貯蓄をしなければいけないのかを考えてみましょう。

仮に30年間で１億円を貯めようとすれば、１年あたり３３０万円ずつ貯める必要があります。これは、さすがに無理ではないでしょうか。

では、５０００万円ならどうでしょうか？

この場合は、年間１７０万円ずつ貯めなければいけません。月に十数万円ずつ貯めなければいけないとなれば、これもかなり困難なことです。１年だけならがんばれるのですが、30年間続けることはできないでしょう。

つまり、いくら貯めればいいのかを決めたとしても、目標値まで到達するのは至難の業です。

「貯蓄５０００万円が目標だ」ということでお

金を貯めることに特化してしまえば、夫婦２人が働くことと引き換えになってしまうので、極めて効率が悪いといえるでしょう。

▼「他人資本」を活用して資産をつくるプラットフォームを構築しよう

それでは、いったいどうすればいいのでしょうか？

他人資本（レバレッジ）をほどよく使って、年間２５０万円の赤字を補って生活できるくらいのキャッシュフローをつくれる「箱」を用意すること、つまり、不動産投資物件を持つことが、とても有効な方法なのです。

他人資本というのは、金融機関からの資金調達分と、毎月強制的に徴収できるお金（家賃）です。家賃は、30日に1回家主が十数万円を受け取れる、合法的な徴収ですよね。

借入という他人資本と、合法的な資金徴収である他人資本が合わさることで、自己資本になります。これは、労働と引き換えに得られるという性質のものではありません。

一方で、給料から貯蓄をして自己資本をつくろうと考えれば、労働と引き換えなのでキリがありませんし、実際お金も貯まりません。逆に仕事でストレスが溜まってしまい、「自分にご褒美として、あのカバンを買おう」ということになり、貯蓄にはつながりません。貯蓄という観点では、その行為はある意味アウトです。でも、それは仕方のないことですよね……。仕事をがんばるのはお金を使うためですから、本来はお金の使い方として正しいことなのではないでしょうか。

そうではなく、ある一定のお金を自分で貯めて、そのお金を活用し、さらなるお金をつくる

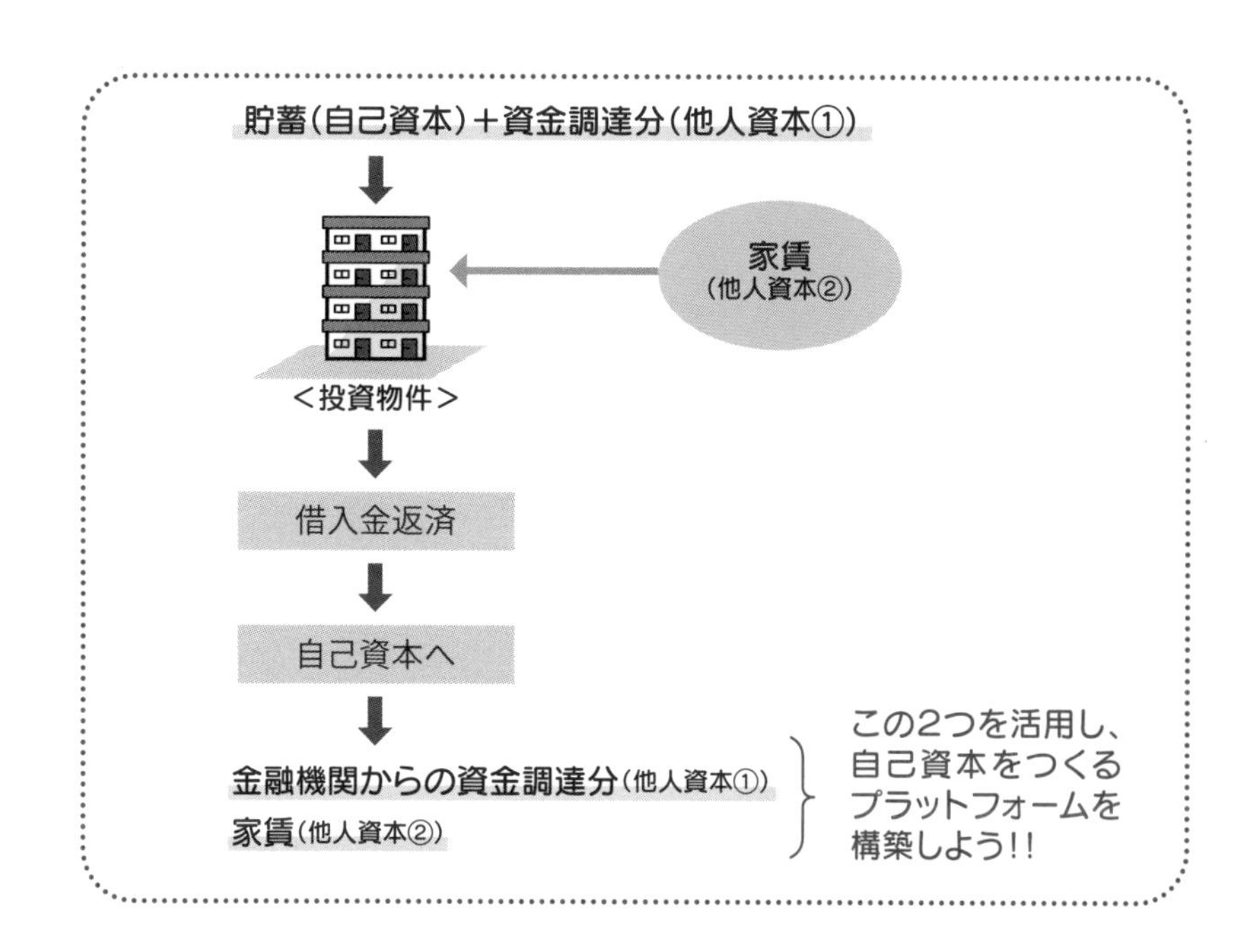

ための「プラットフォーム」を構築することに、努力や頭の使い方、意識をシフトしてはいかがでしょうか。それが、「現金を貯めることばかりを考えない」ということなのです。

▼ポイントは「インカム」と「キャピタル」

実際、1億円を貯めるのは大変なことであり、現金で1億円を持っていれば、世界的に見て「富裕層」といえるレベルです。ちなみに、弊社とお付き合いのある年収1500万円の投資家の方々は、投資用不動産によって1億円の「資産」を達成しています。

不動産投資でポイントとなるのは、「その1億円の資産が、30年後いくらの価値になっているのか？」というキャピタルの話と、「30年間、その物件を維持できるのか？」というインカムの話の2点です。

とくにキャピタルについて、いくら値下がりするのかがわかっていれば、怖くはありませんね。投資は、いくら下がるのかを予想していくゲームです。

予想するにあたっては、データを用意する必要がありますが、わたしは用意するならば先進国のデータが妥当だと考えています。なぜなら、先進国には戦争や奪い合いがほぼないからです。戦争や奪い合いが起きれば、予想が難しくなります。

日本は最先進国ではないとしても、奪い合いはないので、戦争さえ起こらないと仮定すれば、お金の価値の下がり方や人口の推移、物件の供給量だけを読めばいいのです。

まず供給量について、首都圏の土地は、景気がよくても悪くても面積は変わらず一定です。いま建物が建っているところであれば、純増ということにはなりません。減って増える、つまり「壊して建てる」ので純増しないために、相場も安定します。

このように供給面は安定していることに対して、人口の面では不安があります。人口が減るエリアは、物件相場の下落が懸念されるからです。そもそも人口が減るエリア、たとえば千葉県の外房や神奈川県の横須賀から先（三崎など）は、そもそも都会化しておらず、土地が歯抜けになっています。

景気がよくなれば、このようなエリアにも建築業者さんがマンション、戸建てを一気に建てるのですが、問題となるのは人が入ってこないことです。人口が増えなければ家賃も下がるので、土地の価格が下がる可能性が高く、インカムも安定しません。

一方で、もっと都会化が進捗しているエリアなら物件の供給と人口の変動が安定しているの

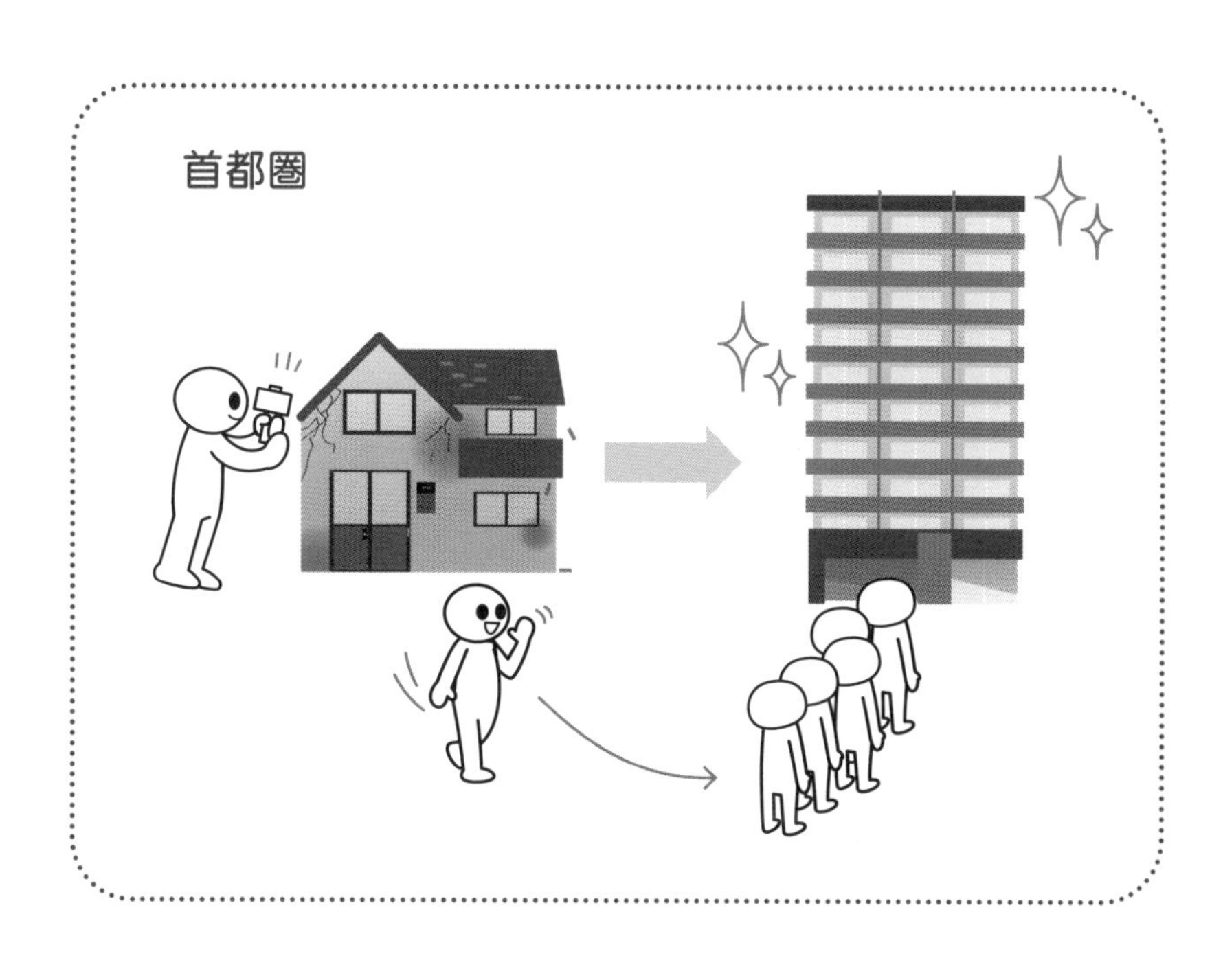

で、インカムが安定します。インカムが安定するということは、出口、すなわち売却価格も安定するということを意味します。

現金を貯めているうちは、なかなか1億円には至りませんので、一定の金額（1000万円）を貯められたら他人資本（借入、家賃）を活用して不動産投資を行うのがおすすめです。

そして、**不動産投資で一番大切なことは、インカムとキャピタルで損をしないものを投資対象として考えることです。**

目次

2章　実践編〜数字の見極め方〜

目次

5章 不動産投資のリスクを考える～Q&A～

【スタッフ】
▽組版　松岡羽
▽装丁　せのおまいこ
▽校正　西岡亜希子
▽企画　岩谷洋介（H＆S株式会社）
▽編集協力　星野友絵
▽編集　五十嵐恭平

1章

不動産投資で損をしないために知っておきたいこと

不動産投資の考え方1

「物件を買う」と考えない。「土地の価値がすべて」と見る

▼「条件」よりも「最終的な売却出口」

投資物件を買うにあたり、多くの人が「こんな物件がほしい」というご希望を伝えてきます。たとえば、駅から近い物件、駅から遠いのなら駐車場つきのファミリータイプ、駅から10分くらいならDinks向けのような1LDKというふうに、物件の条件を伝えてくる人が多く見られるのです。

ところが、そういった条件は、じつは投資の成功とはまったく関係ありません。

物件の購入を考えるときには、建物の価値がゼロと考えてみてください。建物は減価償却するので、あと何年で価値がゼロになるかがわかりますよね。

大切なのは、減価償却が終わったあとに手残りする土地の価格がいくらなのか、ということです。それがキャピタルゲインやキャピタルロスの考え方です。つまり不動産は、売買したときにどのように転ぶのか、最終的な売却出口である土地がいくらかなのかが大切なのです。

ですから、新築の区分所有マンションが3500万円で売られていたのが、時間が経って600万円ほどで売買されてしまうのは当たり前のことです。なぜなら、建物の価値が減価償却で大きく減るからです。

一方で、古いおんぼろのアパートを買うのであれば、そこまで変動はしません。なぜなら、土地と建物とでは、もともと建物の比率が低いからです。ですから、この比率をご自身でわかっ

ておく必要があります。

ただ、土地の比率が非常に高いからといって、たとえばローンを借りたときに逆ザヤ、つまり収支がマイナスで持ち出しになってはいけません。そこは注意が必要です。

駅からの距離やマンションのタイプといった条件で考えるのではなく、バランスを考えて不動産を買うことのほうが重要なのです。

▼自宅から近いか遠いかは重要ではない

よく投資家の方が「自宅から半径10キロ以内の物件がいい」などとおっしゃることがあるのですが、これはそもそもの考えが誤っています。

「オーナーが半径10キロ以内に住んでいれば、2割増しの家賃が請求できる」ということであれば、それは正しいでしょう。

でも、家主の住まいが近かろうが遠かろうが、家賃5万円は変わりません。ですから、家主としては最終的に家賃がいくらになるのかを考えるほうが得策なのです。

家主の気持ちを重視して、自分の希望に合ったものを買うかどうかというのは、まったく重要なことではありません。

大切なのは、運用しているときにいくらのお金を生むのか、売却したときにいくらで売れるのかということだけです。

つまり、物件の条件などは何でもいいということです。

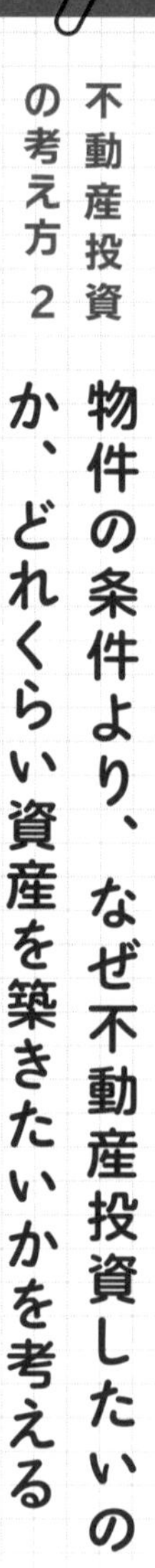

不動産投資の考え方２　物件の条件より、なぜ不動産投資したいのか、どれくらい資産を築きたいかを考える

▼大切なのは「目的」と「ゴール」

不動産投資は、「目的ありき」です。たとえば年収５０００万円の会社員の方が相手なら、わたしは、次のような質問をしています。

・その人がキャッシュフロー年間50万円の物件を買ってどうするのか？
・10年後に５００万円の利益になるかどうかもわからない投資物件を買ってどうするのか？　それは、果たして本質なのか？

さらに、「なぜそのようなことをしているのですか？」「なぜ不動産投資なのですか？」といった「目的」をすべての投資家の方々に質問します。それに加えて、「どれくらいの状況になりたいのですか？」という「ゴール」も併せて伺います。

ですからわたしは、「お風呂とトイレは別がいいですか？」「駅から10分以内がいいですか？」「建物はＲＣがいいですか？」といった物件の条件は、まったく聞きません。

不動産投資は、「どうなりたいか？」に尽きます。最終的にどれくらいの状況になりたくて、そのためには不動産が役に立つと思ったから、不動産投資を考えているのではないでしょうか。

目標がいくらなのか、どのような状況なのかを聞くのはそのためです。

▼条件にとらわれてしまえば、投資物件を買うことはできない

思い描くビジョンを達成させられるものであれば、どのような物件でもいいはずです。

ポータルサイトなどで物件を探し、「こっちの物件は割安だ」「利回りはこれくらいがいい」といろいろ考えて、半年くらい物件を買えていない人がわたしのところへ相談に訪れることがあります。

そのとき、わたしは「それはまったく意味がありませんよ」とお伝えします。利回りを求めたり、人よりもいい条件、割安なものを買おうとして「相模原で利回りが４％か。うーん……」といった堂々巡りをしているわけです。もっとも、相模原で利回り４％は低すぎますが……。

ほかにも、たとえば「さっきの物件は相模原市で利回りが６％だったけれど、こっちの物件なら利回りが10％だから、こっちを選ぶのが正しいのかな。でも、これは相模川の下だな。さっきの物件は上だな。そうすると、最初の物件のほうが安心だな。でも、もうひとつのほうが儲かるな」といったことをあれこれ考えているうちにわからなくなってしまい、「どうしよう……」となって、本を読みます。

すると、いろいろな本に、「損をしないためには安く買うべきだ」と書かれているのを見て、一応納得をします。ところが、これではたいていの場合、うまくいきません。

▼一般の投資家が安く買えることはない

では、実際のところ、どうすれば物件を安く買えるのでしょうか？　ひと言でいえば、プロの声を聞くことです。

たとえばわたしたちのところに売主さんが相談に来たとき、わたしは売主さんに「不動産業者に売るのであれば10％安く売ってください。その代わり、1ヵ月後にすべてのお金を払います」というふうに説明します。

一方で「エンドユーザーさんであれば、少し安くすれば売れます。ただし、買主さんがこれから住宅ローンの審査を受けますから、まだ確定値ではないです」と、専門の立場からアドバイスしつつ、交渉を行います。

相続絡みで、納税期限内に相続税を納めなければならないのであれば、早く確実に売らなければいけませんよね。売主さんが値下げをするのは、このような場合です。

つまり、特別な理由がなければ一般の投資家が安く売ってもらえる根拠はないのです。ですから、安く買う競争から抜け出さなければ一般の投資家が物件を買うことはできないのです。

▼少しでも早く購入すれば「割安で」買えたことになる

でも、一般の投資家さんが「割安で」物件を購入できる方法があります。普通に考えれば、答えはとてもシンプルです。それは、少しでも早くローンを組んで購入すること。

たとえば、いまローンを組んで購入した人と、いまのタイミングで買わずに5年後にローンを組んで購入した人を比べれば、いまの時点で先に買った人のほうが割安です。

なぜなら、ローン返済による元金償還率が年2％ほどなので、いまの時点でスタートすれば5年後には借入元金を約10％返すことになります。

先ほどお話しした通り、10％安く買うのはとても大変なことです。でも、5年後のローン残高を考えたときに、いまこのときから借入残高が10％減っているとすれば、10％安く買っている状態であると考えられませんか？　悩んでいる時間が一番ムダなのです。

また、そもそも不動産投資はそれほど簡単なものではなく、銀行が「融資をしてもいいよ」と言っている時期に、たまたまその人の年収が高くて自己資金もある状態、あるいはご家族が反対するといった邪魔が入らない状態、さまざまな状態が適切である必要があります。

さらに、不動産マーケットがレッドオーシャン化していないタイミング……これらがマッチしたタイミングで買うべきなのです。

▼どんな環境でも早くはじめればメリットが大きい

収益不動産がレッドオーシャン化している状況は、いまから5～6年前にありました。そのときの利回りはいまよりも1%ほど低く、売買価格もいまより10~15%ほど高い状態でした。

もっとも、5~6年前はいまよりも高い値段で買わなければいけませんでしたが、わたしの理論でいえば、この時期に高く買っているということは、融資がゆるかったということです。

ですから、いま買っている人の3倍くらいの借入ができています。利回りが1%低いとはいえ、いまなら1億円のところ、3億円をつくることができているのです。利回り水準が低い6%で買ったとしても、3億円の物件を持っていれば、年間売上が１８００万円になります。

それに対して、いま1億円の物件を買ったとして、利回りが1%高い7%であったとしても、年７００万円です。

このまま年数が経って、銀行へ追加の融資を持ちかけたとします。売上が７００万円の会社から融資をお願いされた場合と、売上１８００万円の会社から融資をお願いされた場合では、銀行の優先順位はどちらが高くなるでしょうか？

答えは、売上１８００万円のほうですよね。

しかも、一方が3億円の資産で負債が1億円、投資物件の評価が2億円、つまり純資産が1億円の状態と、もう一方は1億円の資産で残債が減って負債が５０００万円、投資物件の評価が７０００万円で純資産２０００万円の状態です。銀行はどちらに融資をするでしょうか？　絶対に、純資産が大きい前者ですよね。

ですから、銀行の融資を優先的に取れるよう準備をするためには、物件の希望条件などと言っている場合ではありません。3億円のスケールを目指すのか、1億円のスケールでいいのかということを、ご自身で一度立ち返ってみましょう。

1億円のスケールで考えた場合、土地と建物の

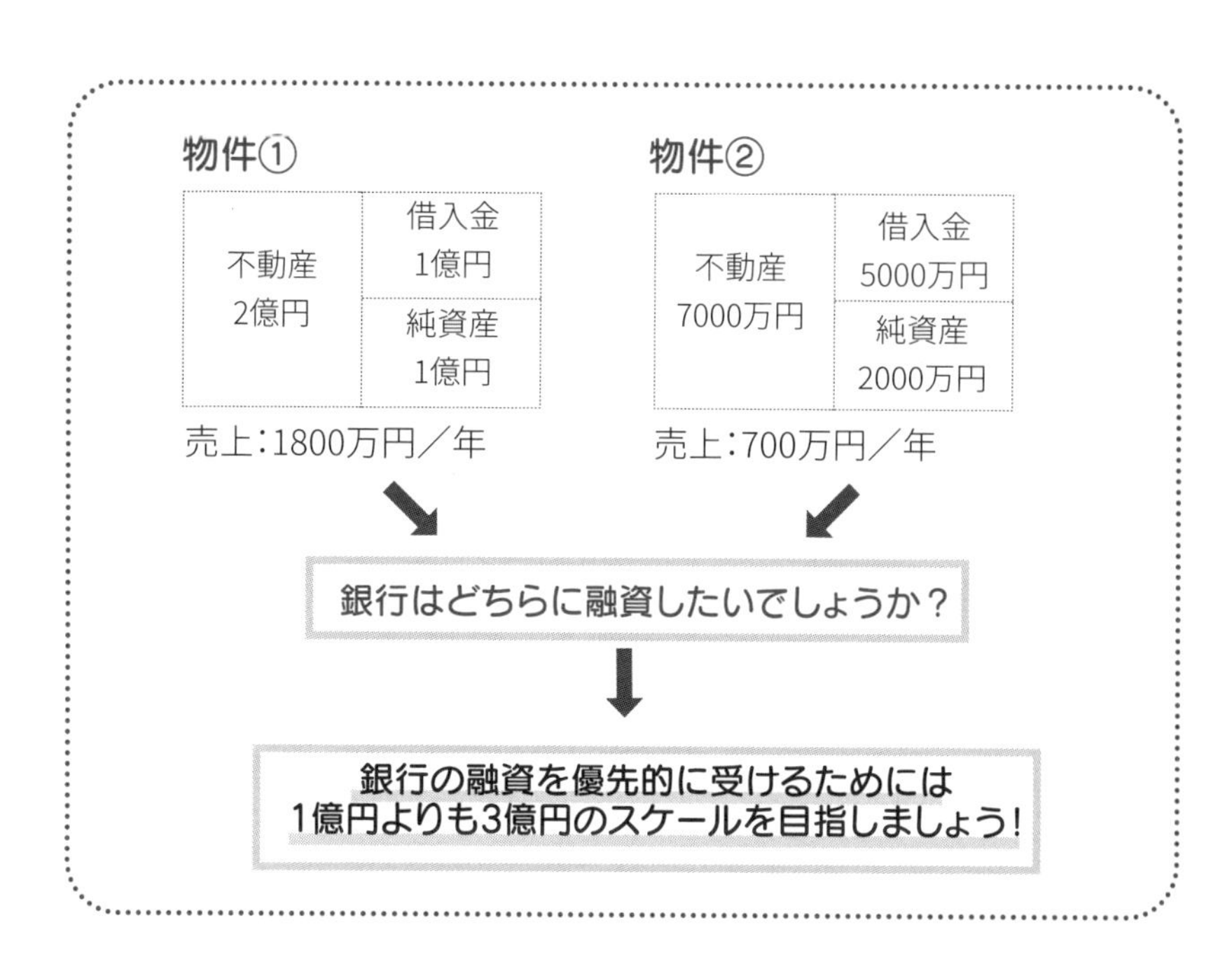

比率を「土地５０００万円・建物５０００万円」で割るのか「６０００万円・４０００万円」で割るのか、そして銀行はＡ銀行なのかＢ銀行なのか、といったことを考えていくのです。

３億円の場合は、Ａ・Ｂ・Ｃ銀行と案件ごと割るのか、２物件に割って自己資金をどれくらい使うのか、というほうが重要です。

物件特性や日当たりの良し悪しといったことはまったく関係ないということをわかっておきましょう。

不動産投資の考え方３

不動産投資は、遅くとも55歳までに決断したほうがいい

▼借入期間が短いほどキャッシュフローに悪影響がある

住宅ローンもそうなのですが、不動産投資に関わるローンの場合、ほとんどの銀行で最終返済は80歳まで、としています。

つまり、年齢が上がれば上がるほど、融資の期限が短くなっていくのです。55歳で融資を受ければ80歳まで25年間、これが上限と考えられるのではないでしょうか。

融資期間が短くなればなるほど、毎回の返済額が高くなってしまうのです。金利が高い・安いという問題ではなく、返済期間が短い分、毎回の返済額が大きくなっていきます。

借入元金の返済は経費ではありませんので、不動産投資に関わる確定申告などでは利益にはなるでしょう。ところが、元金返済が大きくなるために、キャッシュフローはマイナスになってしまいます。

多くの人がご存知の通り、キャッシュフローは非常に大切ですよね。キャッシュフローをつくりたいから不動産投資しているのに、マイナスになってしまっては、本末転倒です。

ですから、不動産投資をはじめるのなら、55歳までにしましょう。

55歳までに不動産投資を行わなかったのであれば、何か別の策を考えなければなりません。

不動産投資の考え方4
40歳の高所得会社員は、不動産投資適齢期ととらえる

▼不動産投資は、さまざまなタイミングが合致しなければはじめられない

「40歳の高所得会社員は不動産投資適齢期」。

まさにその通りです。ところで、不動産投資は「いま」はじめなくても、現時点で困ることはありません。では、いつでもはじめられるものなのでしょうか？

答えは、NOです。不動産投資をはじめるためには、いろいろな条件が重なる必要があります。

・年齢や収入の条件から銀行の与信枠が「たまたま」あって、銀行が融資をしてくれる可能性が高い

・不動産マーケットが「たまたま」落ち着いている

このようなタイミングが重なって、はじめて不動産投資が可能となります。

▼「いいタイミング」を逃せば、5〜10年のタイムロスにつながってしまう

不動産のマーケットでいえば、まさに「いま」がいいタイミングといえますが、残念ながらその「いいタイミング」は、決して長くは続きません。

スルガ銀行が不動産投資への融資に積極的だった頃、わたしはすべてのお客様に「こんなにいい条件で借りられるのは、いまだけですよ」

と言っていました。その後は、さまざまなことが問題視されて、条件が厳しくなりましたよね。

つまり、「いま」権利行使をしなければ、5～10年ほど投資物件の取得が遅れることになりかねません。

50歳になってからやっと、「いま考えます」と言っても、その時点で何年もずれているということです。何年も遅れれば、その分キャッシュフローが厳しくなりますよね。

キャッシュフローが厳しくなるということは、不動産投資にとっては致命傷だとわたしは考えています。

つまり、利回りが非常に高い、無理な投資になってしまう可能性が高いということです。

▼条件にとらわれて、最大のチャンスを逃さないようにしよう

不動産投資適齢期の方々のなかには、「利回りが高い物件を探そう」と思っていて、なかなか不動産投資に着手しない場合も多いかもしれません。

でも、正直に言います。利回りが高い物件には、ほとんどいいものはありません。

なぜなら、「利回りが高くなるほど価格が安くなるまで売れなかった物件」ということだからです。このような物件に手を出しても、無理な投資戦略になってしまいます。

利回りが高い・低い、見栄え、立地といった条件にとらわれないようにしましょう。

40歳前後の「最大のチャンス」を活かさない手はありませんから。

不動産投資の考え方5

投資用不動産は、一度持ったら手離さない

一般企業よりも、不動産転売業や開発会社の倒産率は高く、失敗しやすい事業体であるといえます。多くの人が「不動産はリスクが大きい、怖い」と考えるのは、そのためかもしれません。半分は合っているといえます。

▼不動産賃貸を行っている会社は多く、倒産確率も低い

ただ、不動産業には転売業だけではなく、「不動産保有業」というものもあります。「不動産賃貸業」と言い換えることもできます。

この不動産賃貸業に絞れば、あらゆる事業体のなかでもっとも倒産率が低い事業であるといっても過言ではありません。不動産賃貸業は、

▼同じ不動産業でも、転売業は倒産確率が高い

投資用不動産は、一度持ったら手離さないつもりで運用を考えてください。

ここで質問です。あなたは「不動産業」に対して、どのようなイメージを持っていますか？

おそらく、不動産を安く仕入れて高く売ることで儲ける、いわゆる「不動産転売業」をイメージするのではないでしょうか。

じつはこの不動産転売業、あらゆる事業体のなかで、倒産率が非常に高くなっているのです。

不動産の売買で儲けられるのは、ごく一部の目利きに長けた人たちだけです。しかも、儲けられたとしても「短期間」でしかありません。

帝国データバンクの対象となる会社のうち、南関東に絞れば全体の２％ほどを占めています。

パンで有名な木村屋にも、西新宿に木村屋ビル（現在は西新宿プライムスクエア）という持ちビルがありました。テレビ局も、たくさんの不動産を所有しており、それらが大きな収入源になっているそうです。大企業でいえば、ダイビルや平和不動産がありますね。東京証券取引所は平和不動産の物件です。

いまご紹介した企業が持っているビルは、ほとんどが築古物件です。パンの木村屋も、もともとは工場の築古家屋でしたが、たまたま都市整備されて十数階建てのビルを建てることができました。

ここに共通するのは、「土地ありき」ということです。世界の富裕層といわれる人たちも、ほぼ全員が不動産賃貸業を行っています。

▼不動産の販売業と賃貸業は別物

もちろん、「不動産賃貸業なら１００％儲かる」と言いたいわけではありません。ここでお伝えしたいのは、多くの人たちは不動産というものを「リスクの化け物」のように感じていますが、決してそうではないということです。同じ不動産業でも、販売業と賃貸業は別のものとして理解しておくべきなのです。

「バブルの頃に、友人のお父さんが不動産で失敗した。不動産は怖い」という話をよく聞きますが、一度きちんと分析してみましょう。きっと、転売益で儲けようとしたのではないでしょうか。

その当時、不動産は絵画や株、ゴルフ会員権と横並びにされていましたが、その頃に「収益率」という言葉は出てこなかったはずです。当然、「利回り」という言葉を使った人もいません。

絵画もゴルフ会員権も、狙いは転売益でした。転売益を狙うビジネスは、短命なのです。

▼一度手にした不動産は「入れ替え」以外は手離さない

本題に戻りますが、やはり不動産は一度持ったら手離さない方向で運用を考えるのが軸です（唯一の例外として、メンテナンスとして場所を変えることは行ってもいいでしょう）。

たとえばビギナーのときに利回りを求めて相模原市の物件を最初に持ったとします。その後お金が貯まり、銀行も金利が安いところで借りられる状況になったのならば、世田谷区の物件に帰ってくればいいのです。

「入れ替え」は、手元からなくすわけではないので、悪いことではありません。そうではなく、利益確定をして5000万円が儲かったなどと喜んでいても、「年400万円の赤字」で過ごせば12年でお金がゼロになってしまいます。5000万円の貯蓄など、それほどのものではないということです。株にしても、ウォーレン・バフェットをはじめとした世界的な富豪は、長期保有を軸にしています。

投資用不動産に対するイメージが、変わったでしょうか？

不動産投資の考え方 6

不動産投資で、本業に匹敵するくらいの収入を得られるようにするのが理想

▼いくらあればいいか具体的にイメージ

ここで、耳寄りなお話をします。

不動産投資で、本業に匹敵するくらいの収入を得られるようになれば、働かなくてもよくなるでしょう。

もちろん、一生懸命に働くのは正しいことであるとわたしも思います。でも、60歳を超えてくると、どうしてもそれまでのようには働けなくなるものです。

いざ働けなくなったときに生活レベルを一気に下げることができるかといえば、難しいでしょう。

その段階で、いままでと同じくらいの収入を不動産で確保できていれば、急激にブレーキを踏んだ生活をしなくてもよくなります。

目標とする時期まであと何年あるのかを考えて、いまの収入の何割くらいを賃貸業で賄うかをまず考えましょう。

本業と同じくらいの収入を得られるためにはどれくらいの資産が必要なのかをイメージして、実務を遂行していくことが大切なのです。

▼不動産賃貸業によって安定した収益を獲得しよう

よくいただく質問に、「何歳くらいまでに、本業に匹敵するくらいの収入を不動産投資で得る必要があるのか？」「投資をはじめて何年後くらいに、本業と同レベルの状態になるのがいいのか？」といったものがあります。

老後の不安を解消するためにも不動産投資は有効
ポイントは働けなくなるまでに
不動産賃貸業を成立させること

実際にはその人の自己資金や状況によって違ってきますが、ひとつ共通することは、「働けなくなるまでに、不動産賃貸業を成立させたほうがいい」ということです。

なおかつ、「それに向けた準備期間も、逆ザヤにしないこと」です。

不動産賃貸業が成立するまで血のにじむような努力をしたことで、燃え尽きてしまう人もいます。

でも、それはよくありません。キャッシュフローがプラスの状態で進み、万が一本業が止まったとしても維持ができるような状態をつくっておくことが、正しい取り組み方といえます。

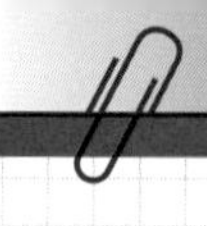

おすすめは断然中古の1棟マンション

▼土地の比率が高い中古物件のほうが、将来の資産価値は高くて有利

すでに何度かお話ししていますが、わたしが不動産投資でおすすめしたいのは、「1棟、中古のおんぼろマンション」です。

おすすめする根拠は、物件価格全体における建物の比率が低く、投資家が主導権を持った土地を買うことができるからです。

なお、築年数は、「25年以上」で考えましょう。具体的に説明します。新築物件の場合、1棟の建物について建物と土地の比率は5：5であり、物件価格が1億円だとすれば、5000万円：5000万円となります。

一方で、中古の物件はおおよそ7：3で、同じ1億円であれば、土地7000万円、建物3000万円です。

投資家の目線で、「30年後に5000万円が残る投資」をするのか、「7000万円が残る投資」をするのかと聞かれれば、後者の7000万円を選ぶでしょう。

では、「新築」がほしいか、「中古」がほしいかと質問をすれば、新築を選択してしまうことが多いのではないでしょうか。

でも、投資で考えれば、「気持ち」ではなく土地の比率が高い中古を選ぶのが正解でしょう。ですから、「築古の1棟」を選んだほうが、断然有利なのです。築古物件には、たまに土地と建物の比率が9：1という場合もあります。この比率を見極めれば、値下がり幅がわかりますよね。

▼都市部は値下がりリスクが小さく、値上がりも期待できる

残る問題は、土地の信頼性だけになります。

たとえば７０００万円の土地が、静岡県の山奥なら不安が残ります。でも、政令指定都市である相模原市であれば、駅から30分くらいの建売でも、30年前の坪単価が10万円以下だったものが、現在では90万円程度で売れています。

投資家ご本人が相模原市には住まなくても、「それなら将来は、インフレとともに多少は値上がりするだろう」と安心できます。

なお、先ほどの新築物件の土地５０００万円に対して20％のインフレが効いたとしても、６０００万円です。一方で、中古物件の土地７０００万円に20％のインフレが働けば、８４００万円になります。

これは単利計算なので、複利にすればもっと価値は上がるでしょう。５０００万円が残る投資と７０００万円が残る投資では、この乖離も非常に大きくなるのです。

繰り返しになりますが、**不動産においては、建物の価値は１００％減ります。ただ、土地に価値があれば下げ止まります。**

ですから、中古物件がおすすめなのです。

物件の考え方2

アパートは、違う場所で・複数所有するのが理想的

▼災害リスクに備えることと「銀行の管轄を跨ぐこと」がポイント

アパートやマンションは、もし可能であれば、「違う場所で」「複数棟」持ちましょう。

その理由は2つあります。

ひとつは、災害に対するリスクヘッジです。これは、とくに詳しい説明をしなくてもいいでしょう。

もうひとつの理由は、銀行の管轄を跨ぐためです。これについては、詳しく解説します。

▼違う地域で複数棟持てば、銀行の条件が有利になり得る

たとえば、横浜銀行と千葉銀行、埼玉縣信用金庫。これらの金融機関はいずれも、不動産が好きな金融機関です。もっとも、ビギナーのうちは融資の相談に行っても門前払いになるでしょう。

でも、仮に西東京に投資物件を持っていて、返済が順調に進捗し、ローントゥーバリュー(Loan to Value：不動産価格に対する借入金の割合)がよくなったときに横浜銀行や千葉銀行に出向いたとしたら、すべての銀行が「ぜひうちで借りてください」と競争するようになります。

たとえば、残債2000万円に対して資産が2億円あれば、1億8000万円の余剰資産がある、といった状況で、です。

そこで問題となるのは、いずれも地方銀行や信用金庫なので、管括が決まっているというこ

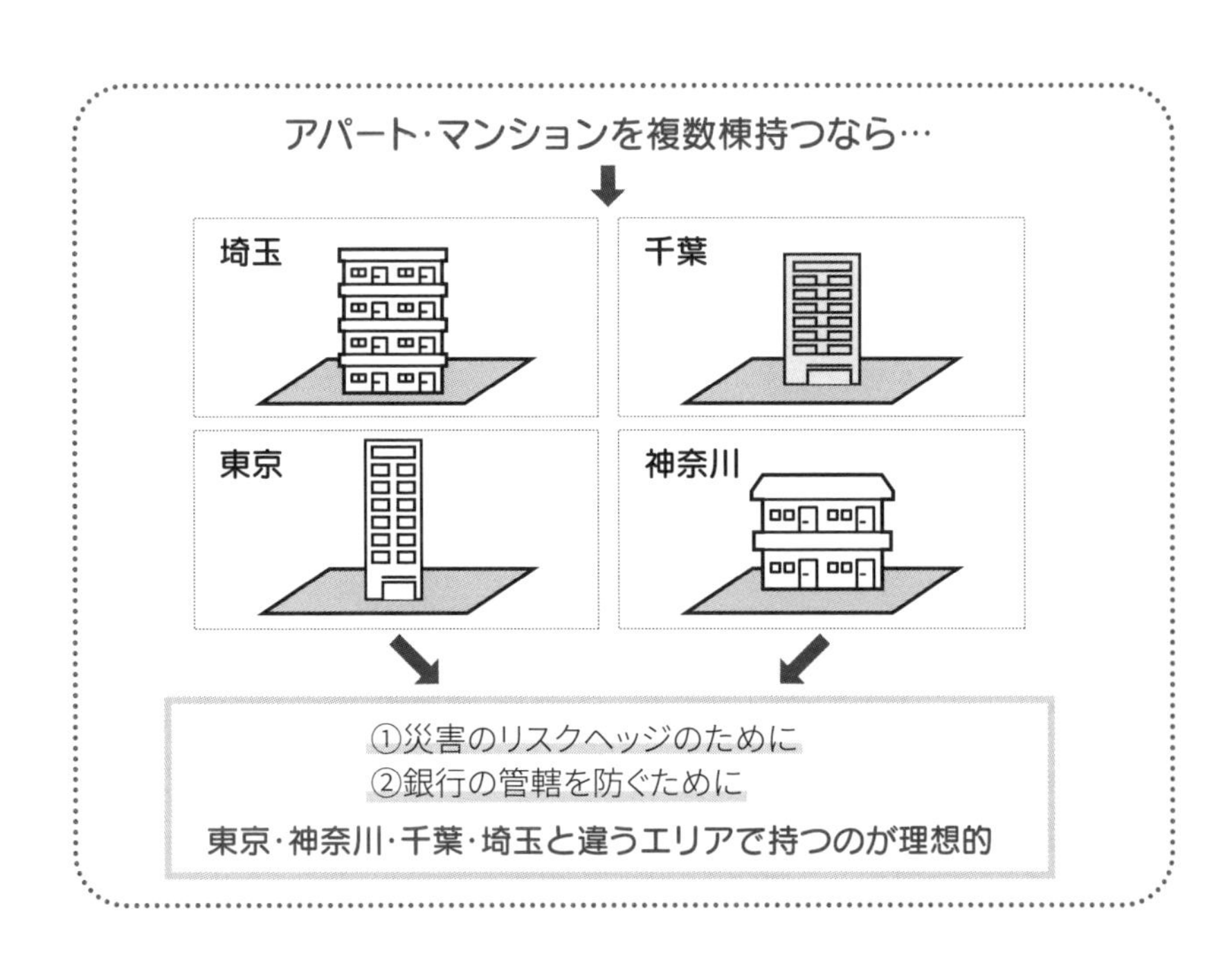

とです。

たとえば東京の中野区に本店を置く西武信用金庫であれば、管轄は埼玉県の南部や東京都（島を除く）、横浜エリアです。もし、ある投資家がそれぞれのエリアに物件を持っていれば、「当行（西武信金）の管括内です」ということになってきて、埼玉の物件でも取引ができます。

つまり、神奈川県に本社を置くある中小企業の資材置き場が埼玉にあるとすれば、西武信金の管括内なので融資をしてくれるのです。

ところが、埼玉県を地盤とする銀行から見れば、「当行の地盤に資材置き場があるのですから、当行に融資をさせてくださいよ」と、金融機関が勝手に競争をはじめ、「当行は金利を下げます」「当行はこんな保険をつけます」と、競り合ってくれるのです。もし融資を断られれば、預金を引き上げることもできます。

そしてほかの銀行に「あなたの口座に預金を入れるから。融資してください」いえば、その銀行も「ぜひお願いします」とがんばるでしょう。

投資用不動産を別の地域で持つべきなのは、こういった理由からです。

▼土地勘のある場所の物件が有利なわけではない

一方で、自宅の場合は投資物件とは異なり、自分のゆかりのある地域から2キロ以内の物件を買うものです。

これは昔から言われていることで、ゆかりのない物件はなかなか購入できません。

ところが、不動産投資に同じ基準を当てはめると、たとえば成増に住んでいる人は成増の物件を買うことになるでしょう。

そうすれば、武蔵野銀行や巣鴨信金など地元の銀行からしか融資が受けられないことになりかねません。融資に強い銀行が他にあったとしても、地元だけに縛られてしまうと、自分にとって有利な状況をつくることはできないのです。

投資物件の場合、「自分が相場感を知っているところならいい物件だ」と思いがちですが、賃借人から見れば、それはまったく関係ありません。

投資家、つまりオーナーが地域の情報に詳しいかどうか、相場観があるかどうかは、賃借人にとって1円の足しにもならないでしょう。

つまり、複数棟を所有する場合、東京・神奈川・千葉・埼玉と、違うエリアで持つのが理想的だということです。

自分と同じ階層の人が住む前提で考えない

▼違う階層の人が住むことを前提として、物件選びをしよう

不動産投資を行うのは、いわゆる「アッパー層」、つまり年収の高い方々です。

そのような投資家の人たちに「中古のおんぼろ物件」を紹介すると、「わたしやわたしの友人は、こんな物件には住みませんよ。住んでいるのを見たことがない」と言います。

それは、当然のことです。年収1000万円の人のまわりには世帯年収300万円の人は集まりません。文化が違いすぎるのです。

ですから、「自分が住むかもしれない」「息子がいつか住むかもしれない」という概念を取り払いましょう。

とくにワンルームマンションでは、将来お子さんが住むかもしれないと考えてしまう人が多く見られます。

「御茶ノ水あたりだったら、もしかすると将来娘が住めるかもしれない」という話をよく聞きますが、賃貸で借りたほうが効率がいいでしょう。

なぜかというと、不動産投資は、都心であれば利回り4%、郊外なら8%。つまり郊外で収益物件を持つほうが倍の不動産を買うことができるからです。

お子さんのためには賃貸で借りて、郊外の収益物件で儲かった分を賃料として充てたほうがいいでしょう。

物件の考え方４

自分にゆかりのない土地の物件を買っても問題ない

▼物件の所在よりも重要な需給バランス

ここまで何度かお話ししてきましたが、投資物件については、ゆかりのない土地であっても問題はありません。

もちろん、ゆかりのない土地といっても、やはり程度があります。大切なのは、「人がいること」「過剰な供給がされていないこと」です。

このような需給バランスをきちんと見るというルールを守るのであれば、どのエリアの物件を買っても構いません。このあたりについては、プロからアドバイスをしてもらいましょう。

たとえば、お客様が茨城県ひたちなか市の物件を買いたいという場合、わたしなら止めるでしょう。なぜなら、土地が余っていて、将来的に安定した人口流入が期待できないからです。

仮に人口が減らないとしても、新たな人の流入が期待できなければ、不動産投資は収益が立ちません。

不動産投資に関しては需給をしっかりと見る必要があるので、そこは専門家にアドバイスを求めたほうがいいところです。

▼着工が続く「人口以上の住まい」

日本の建築業者と不動産業者の考えはシンプルです。土地が余っていれば、建物を建ててしまいます。そして、そのシンプルな戦略に銀行が加勢するために、建物がどんどん増えていきます。

ちなみに現在の日本は、１億２０００万人分の世帯があるといわれています。にもかかわらず、国土交通省のデータによると、令和4年の前期は90万戸の新規着工件数があったそうです。すでに1億2000万人分の家があるのに、なぜそのようなことになるかといえば、新築が売れるからです。

もっとものようなことが起こるのは、そのほとんどが、たとえば名古屋などの地方都市です。首都圏は壊して建て替えるので、戸数は純増しません。ですから、新規着工件数を見る場合には、滅失率もきちんと見なければいけないのでしょう。

ただ、数字だけを追うと、1億5000万戸あるのに毎年100万戸近い住宅が新規に着工されているのです。

わたし自身は、新しく建てるよりも、いまあるものを使ったほうがいいのではないか……と思っています。ただ、住宅ローン減税といった税制面からとらえると、住宅ローンを借りるには新築のほうが有利なため、毎年新しくつくられているのでしょう。

▼住宅地図のグレーエリアを選ぼう

話を戻します。よく知らない土地の物件を買うのはまったく問題ありませんが、土地が余っている地域は避けてください。

具体的に解説すると、住宅地図を見て、白く見えるエリアはやめておきましょう。

人口が多いエリアは、住宅地図が真っ白ではなくグレーに見えます。選ぶなら、このゾーンにするのがおすすめです。

物件の考え方 5

複数棟の物件を持てば、一時的な退去も怖くない

▼首都圏の賃貸住宅の稼働率は86％

不動産投資には、「稼働率（実際に賃貸している割合）」という考え方があります。

国の機関である統計局やＴＡＳ－ＭＡＰという民間データによれば、首都圏の賃貸住宅の平均稼働率は86％とされています。意外に空室が多いな、という印象です。

ちなみに弊社では、神奈川県なら横須賀や三崎、埼玉県であれば本庄や熊谷といったエリアの物件はほとんど扱っていません。

実際のところ、弊社が物件を所有しているエリアでは、90％以上稼働しています。

▼部屋数を持つほど稼働率は安定する

ところで、もしある投資家の方が1棟10室の物件だけを保有している場合、一時的に70％程度の稼働になることはあります。

でも、１００部屋を持っていて70部屋だけしか稼働していないなどということはありません。一気に30％の人が退去してしまうことは、まずあり得ないでしょう。

これも複数棟を持つメリットのひとつであり、持っている部屋数が多ければ多い分、空室のリスクを避けられるのです。

物件の考え方6　不動産投資家が最低限確保したい物件の入居率は70％

▼基本的に首都圏で入居率70％を切ることはない

不動産投資を続けていくために最低限確保しておきたい入居率は、70％です。

でも、じつは入居率70％を確保するのはとても簡単なことです。なぜなら、10万円の家賃として出していた部屋を7万円にすればいいからです。そうすれば、絶対に誰かが借りますよね。

ただ、入居者の立場になれば、自分が10万円で住んでいるのに隣の部屋が9万円くらいになったら、おそらく引っ越しを考えるでしょう。ですから、家賃を70％にするのは現実的ではありません。

実際のところ、入居率が70％になることは通常はあり得ません。

先ほどお話しした通り、首都圏における賃貸住宅の平均稼働率は86％であり、この数字を切る状態が長期にわたって続いている場合は、PM会社、つまり管理会社の怠慢でしかありません。

もちろん、瞬間的に10部屋あるうちの3部屋が空いてしまうことは起こり得ます。でも、すべての期間にわたって稼働率70％の運用が続くはずがありません。

もしそういったことが起こるとすれば、スタートの時点で賃料設定を見間違えているか、もしくは騙されている状態です。意外と多いのは、じつは後者なのです。

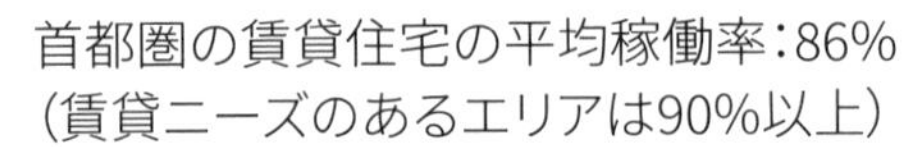

首都圏の賃貸住宅の平均稼働率：86%
（賃貸ニーズのあるエリアは90%以上）

最低限確保したい稼働率は70%

ただし、南関東で「70%」は通常あり得ない！

賃料設定に迷ったらプロの力を借りましょう！

ある物件の適正家賃が７万５０００円なのか７万２０００円なのかは、わからないものではないでしょうか。ただ、プロは適正家賃をきちんと判断できるだけの材料やデータを持っているので、プロたちはそれらをきちんと開示しなければいけません。

適正家賃について迷ったら、プロの力を借りることをおすすめします。

2章

実践編

〜数字の見極め方〜

年収1000万円未満の人は、節税を考えなくていい

▼優先事項は財産の拡大

本章では、不動産投資を行っていくために必要な「数字のとらえ方」「数字の見極め方」についてお話ししていきます。

まずは、年収と投資スタンスの話から。

極端な話、年収1000万円くらいまでなら、節税で自分の所得を効率化させる必要性はありません。たとえば年収1000万円であれば、納税額はおよそ150万円です。この150万円の納税を、多少節税策がうまくいって50万円軽減したとしても、年間に貯蓄できる金額は50万円しか増えません。

50万円の貯蓄をしたいのであれば、月4万5000円くらいですから、そもそも自力でできる話ではないでしょうか。ですからこの場合、節税を考えるよりも、年間数十万円単位の資産をつくろうと、考えを変えていったほうがいいでしょう。

将来的に1億円の資産をつくるには、年間数百万円単位の資産形成が必要です。年間50～100万円貯めたところで、1億円規模にはなりません。こうなると、節税よりも先にするべきことがあります。節税を考えている時間があるのなら、その時間で資産形成、財産の拡大をもっと意識してはいかがでしょうか。

▼節税ばかり考えていては、収入アップに後ろ向きになる

不動産投資に取り組んでいる人の共通項は、

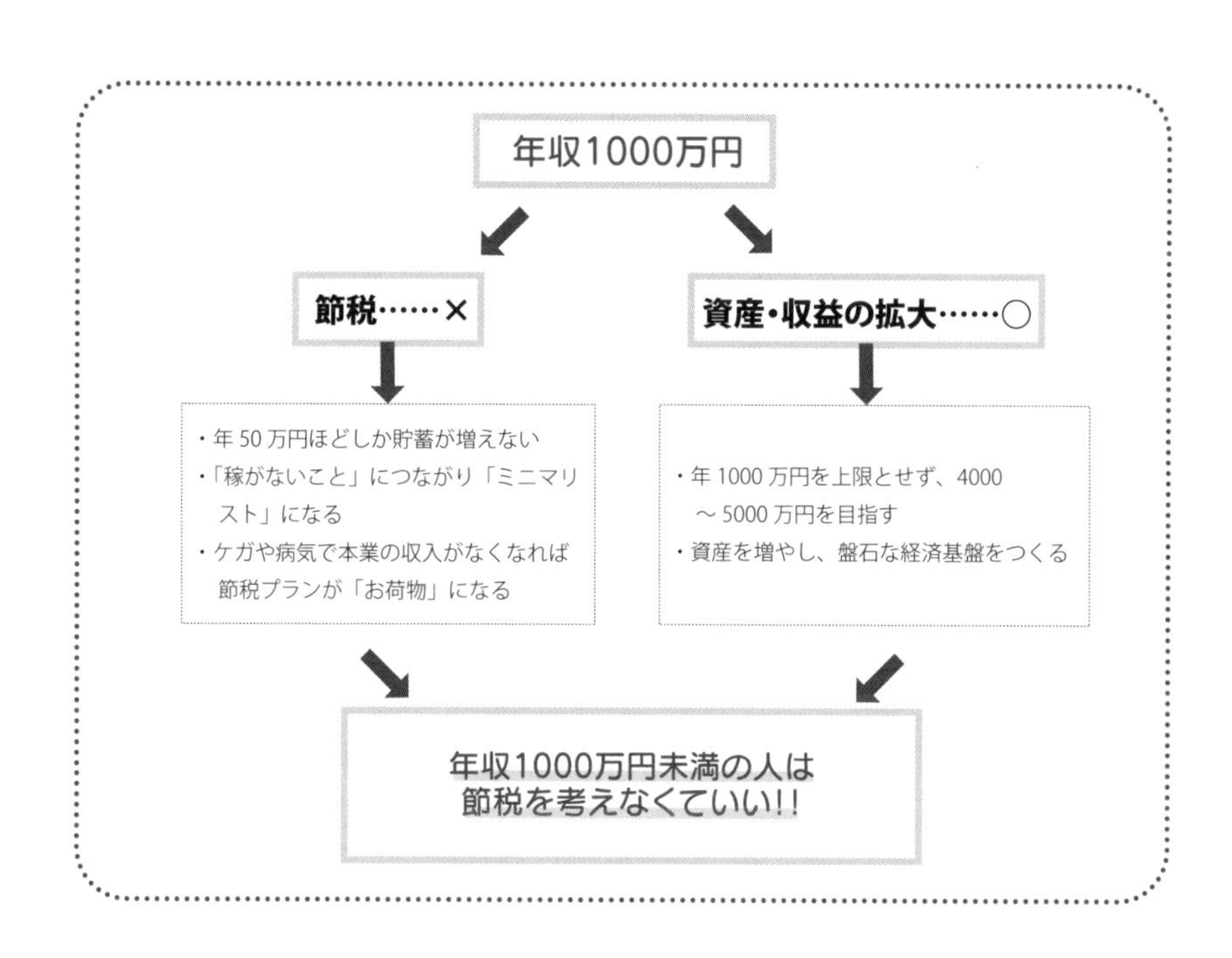

「もっとキャッシュフローがほしい」「資産形成をしたい」「財産を拡大させたい」というところではないでしょうか。

節税したいということは、つまるところ「現預金を増やしたい」「払っている税金がもったいないから、支払いを抑えたい」「資産をつくりたい」ということです。

ですから、節税という効率が悪くなる方向へ進むのではなく、むしろ資産や収益を拡大して、適正な税金を払うくらいの気持ちを持っていただきたいと思っています。「肉を切らせて骨を断つ」「損して得取れ」ということわざがありますが、小銭集めをするのではなく、もう少し大局を見てほしいのです。

すべてを損得で考えて、節約ばかりを意識すれば、必要最小限の物で生活をする「ミニマリスト」になりますし、もっと進むと「稼がないこと」につながってしまいます。ぜひ「しっかりと稼いで財産を築いていく方向を目指す」という感覚を持ちましょう。

節税に傾くと、どうしても稼ぐことに気持ちが向かなくなり、収入の拡大を怖がってしまいがちです。所得税は累進課税なので、所得が上がることを嫌ってしまうのだと思います。

でも、年収1000万円の人が所得を上げたくないと思ったら、1000万円が年収の上限になってしまいますよね。年収1000万円で税金を削減しても、100～150万円しか節約できません。

そうではなく、いっそのこと4000～5000万円といったスケールにしていくことが、豊かになっていく大きな鍵です。

▼節税の落とし穴は本業の収入ダウン

節税を考えることには、もうひとつ危ない要素があります。それは、ご本人の収入が落ちたときにどうするのか、ということです。

仮に収入が1500万円あったとして、「無駄な税金を払いたくない」ということで、課税所得を300万円圧縮して、税金が100万円おトクになったとします。ここまではいいでしょう。

でも、その人の翌年の年収が事故や病気で600万円に下がってしまえば、欠損金をつくったとしても、数万円しか変わらなくなってしまいます。

不動産投資における節税は、不動産を使った所得の効率化です。でも、じつは不動産賃貸業よりも本人の所得ほうが、変動する可能性が高いのです。なぜなら、ケガをして、もしくは病になって収入が半分になる可能性は大いにありますが、不動産賃貸業はケガも病も関係なく売上が安定しているからです。

個人投資家は、優秀であればあるほど節税によって課税所得が下がる可能性が高いのですが、本人の所得がなくなるケースを考えていないことがほとんどです。

本業の収入がなくなったときには、節税プランはお荷物でしかありません。マイナスをつくっているだけで、プラスをつくれていない状況です。

ですから、不動産投資をするにあたっては、「プラスアルファの収入をつくる」という方向で考えるのが基本路線です。

新築ワンルームマンションのような不動産投資が節税の代表例ですが、キャッシュフローがマイナスになってしまうことが少なくありません。本業の収入が下がった場合には、このマイナスのキャッシュフローの補填が、大きな足かせになってしまうでしょう。また、新しい物件を古くなった状態で売らなくてはならないため、売却時には値下がりしてしまうリスクがあります。

まずは、節税を考える前に、資産を増やし、万が一のときにも磐石な経済基盤をつくることを優先していきましょう。

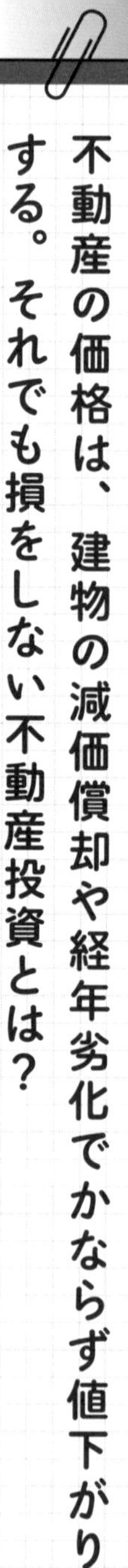

不動産の価格は、建物の減価償却や経年劣化でかならず値下がりする。それでも損をしない不動産投資とは？

これまでにもお話しした通り、建物は未来永劫ずっと価値があるわけではなく、経年劣化で価値は下がりますし、減価償却によって将来的にかならず価値がゼロになります。

この「かならず価値が下がる、もしくはゼロになるもの」をどれだけの比率で入れるかを、しっかり考える必要があるのです。

たとえば1億円の物件を買うときには、土地と建物の比率が、土地7500~8000万円、建物2000~2500万円が望ましいでしょう。

このような比率であれば、もし建物が減価償却や経年劣化で価値が目減りしても、土地の部分は減価償却することはないので、それなりの価値を維持することができます。

▼土地比率の高い物件は損をしにくい

まず、不動産の世界における「損」という概念が非常に曖昧ですから、最初に定義を明確にしておかなければいけませんね。

建物はかならず価値が目減りします。ですから、価値が目減りしない物件は存在しません。

わたしは、「負債（ローン残高）」が「売却価格」を上回る場合を「損」と考えています。これは、「物件を売ってもローンを返済しきれない状態」です。

損しないための最大の要素は、土地比率の高い物件を買うことです。わたしの不動産投資ロジックでは、「いかに土地を残すか」を中心に考えます。不動産は「土地」と「建物」ですが、

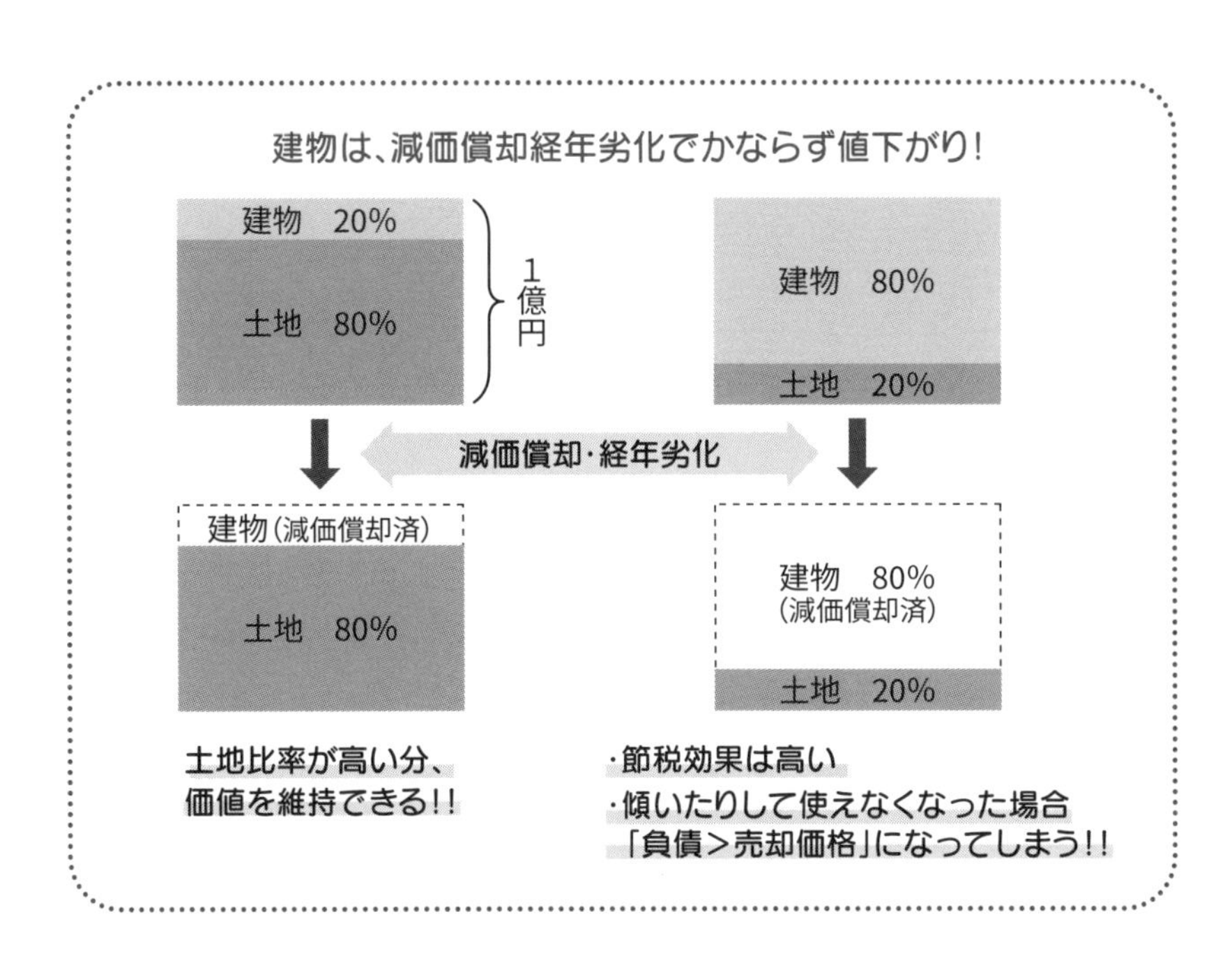

ですから、「損をしない不動産投資」をしようと思うのであれば、手残りの土地をきちんと計算をして購入することです。値下がり幅をきちんと計算しておくことによって、損をしにくくなります。

▼建物比率の高い物件は節税効果があるが、損をする可能性も上がる

前項の節税ロジックではこの比率が逆になり、建物８０００万円、土地２０００万円といったケースが多く見られます。

たとえば木造の新築の場合、19年で減価償却するので、この期間を過ぎてしまえば資産価値が大幅に下がってしまいます。激しく減価償却していけば、その期間内の税金は安くなるかもしれません。でもその先には、資産価値の低い土地しか残らなくなるのです。

また、減価償却しきってしまう前であっても、建物が何かしらのトラブルによって傾いて使えなくなれば、賃借人も入れられず、保険も出ず、解体するしか方法はありません。

建物を解体して更地を売るときには、仮に銀行から1億円で借りていた借金が6000万円残っていれば、2000万円にしかならないために、4000万円の負債が残ってしまいます。

不動産におけるリスクは複合的に起こることが多いのですが、本業の収入でローン返済が賄えなくなって物件を売却しようとしたときに、負債のほうが大きければ、最悪の状態といえます。

このように、減価償却を利用した節税ロジックに寄せすぎてしまうと土地比率の低い物件を選びがちになりますが、わざわざ損をしやすい物件を買う必要はありませんよね。

▼投資物件を購入する際には、「土地の比率」を意識しよう

「土地比率の高い物件」は一棟物件だけではなく、区分マンションでもいえることです。

マンションには、「敷地権」という土地の持ち分がついていて、その「敷地権割合」によって、何坪の権利を持っているかを計算できるのです。築古の物件であれば、区分物件であってもそれなりの土地比率を得られるでしょう。

計算は難しいのですが、購入の際には土地比率をきちんと意識する必要があります。

1億円で買った物件が8000万円で売れたから、得をした、損をしたというのは、売却した時点でのローン残高によります。

何年後くらいにローン返済分が建物部分の価格を上回るか、つまりローン残高が土地の価格

減価償却を終える前でもトラブルで使えなくなり、
解体にまで発展する可能性もゼロではない

よりも下になるか、ということを考えるべきではないでしょうか。

なお、「何年後」の目安は、次項でお話ししますね。

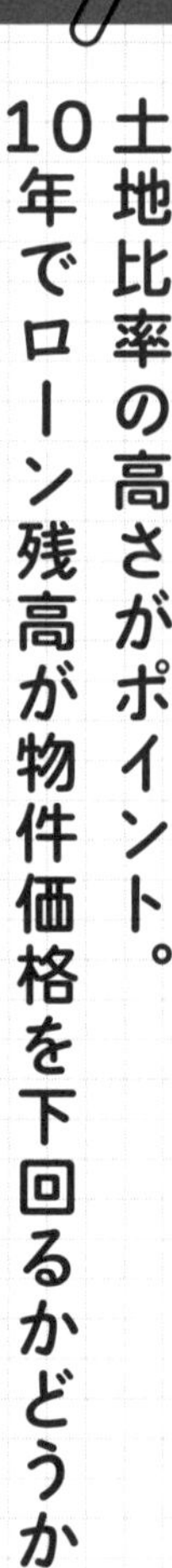

土地比率の高さがポイント。10年でローン残高が物件価格を下回るかどうか

▼10年以内売却の不動産投資は失敗

大切なことをお話しします。不動産投資では、購入した物件を10年未満で売却する場合には、どうしても儲かる可能性が低くなります。なぜなら、「買って・売って」の往復によって、物件価格の約10％弱の経費（手数料など）がかかるからです。

不動産投資ローンの返済は、基本的に「元利均等返済」となります。元利均等返済の特徴は、最初のうちは金利ばかりを返すことになる点です。

返済がはじまった10年以内で、元金の返済がなかなか進んでいないのにもかかわらず経費が10％弱乗ってくれば、ローンや手数料を支払い切るために自腹を切る可能性が高くなります。

ですから、10年未満で投資用不動産を売却しなければならないような事態になったなら、その投資は基本的に失敗といえるでしょう。

裏を返せば、10年ほど経ったところで物件の売却価格がローン残高を下回るかどうかは、物件を見極める際のひとつの目安です。

ポイントとなるのは、土地比率の高さです。10年経った時点でのローン残高が物件価格を下回っているのであれば、それは買っていい物件です。

むしろ、そのような物件こそが、買いたい物件の理想形といえます。

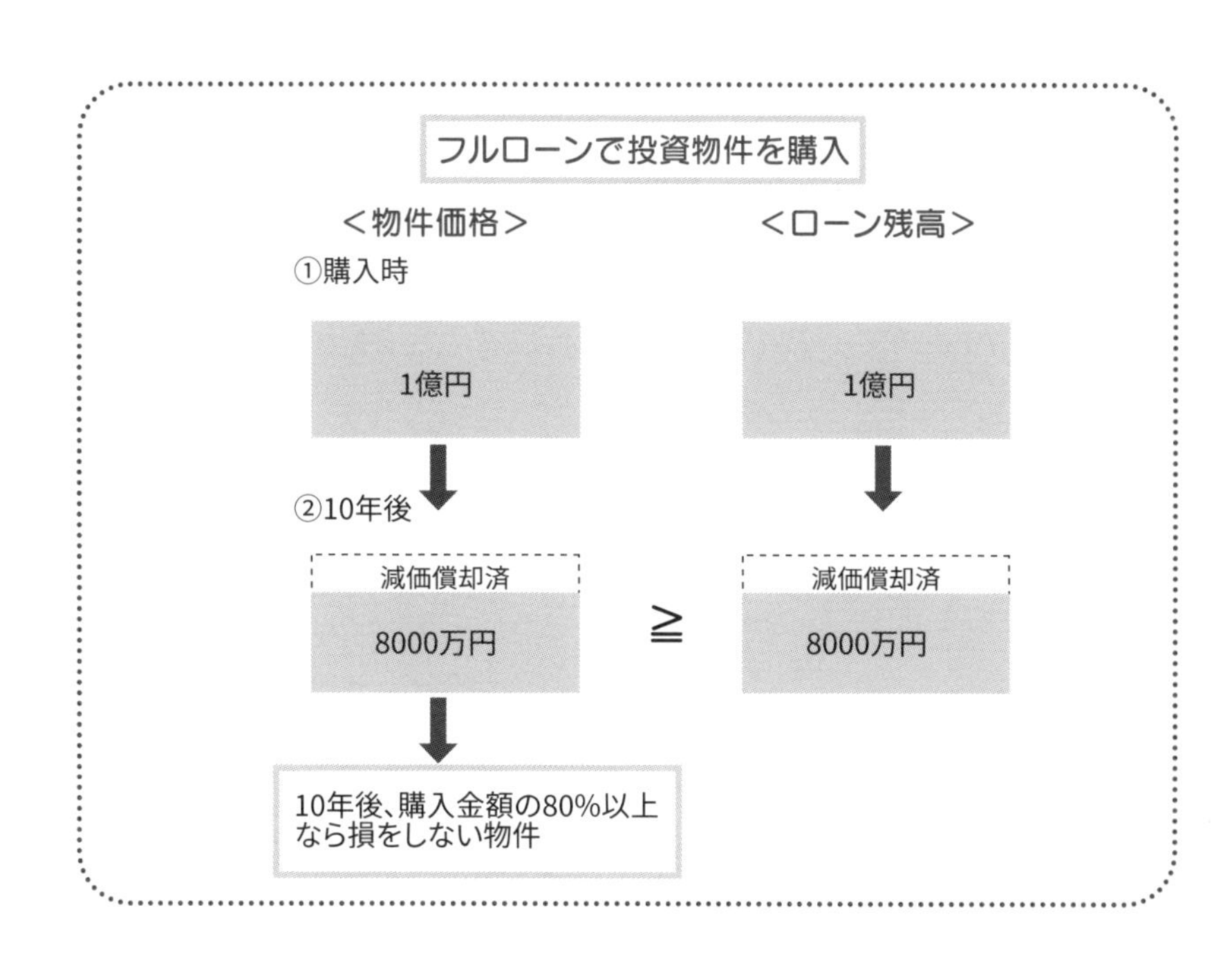

▼元金の返済率は2％。何年返済すれば土地比率を下回るのかを把握する

ところで、元利均等返済で10年間返済すれば、何割くらいを返済していることになるかご存知でしょうか？

金利にもよりますが、元利均等返済における元金の返済率は、約2％と考えましょう。10年間で20％ほど返済するようなイメージです。つまり、もしフルローンで買った場合でも、10年後の物件価格が購入金額の80％以上を維持できていれば、「損をしない物件」ということです。

結論を繰り返すと、減価償却や経年劣化、予想外のトラブルに影響されない「土地」の比率が高い物件を購入することが、損をしないためには非常に大切なことなのです。

物件に内包される土地と建物の価格の黄金比については、後ほどお話ししますね。

▼需給バランスが逼迫しているエリアの物件は、値下がりしにくい

投資物件として一番値下がりのしにくい条件をひと言でいえば、「収益が安定していること」です。どういうことかというと、次のような物件は値が下がりくいということです。

・人口がある程度安定しているエリア
・不動産の新たな供給がしにくいエリア

需給バランスが逼迫しているエリアの物件は、値下がりするどころか、値上がりすることが予想されます。具体的な指標としては、人口の増加率と開発用地の有無でしょう。

たとえば現在の人口が「100」として、そのエリアに物件が100室あり、家賃相場が月10万円だったとします。この場合、人口が「50」になれば、家賃はかならず5万円になります。そして、物件の供給が100室から200室になった場合には、人口が変わらなければかならず家賃は5万円になります。基本的なメカニズムは、このような形になっているのです。ですから、不動産は需給バランスが非常に読みやすいといえます。

一方で、読みにくいのは株価や外国為替などに影響を与える「流動資産」の動きです。たとえば日本株が好調であれば流入して相場が上がったり、金融危機を機に莫大な金額が流出するといったことが起こることがあります。不動産は、好景気でインフレになっても、人口が増えるわけではありませんし、物件の供給量が増えるわけでもありません。

▼土地が余っていない都市部では基本的に値下がりしない

　もっとも、物件供給量は増えていないわけではありません。年の住宅新規着工件数は、いまでも約１００万件あります。ただ、不動産は滅失しているものもあるので、90万戸が純増しているわけではありません。ただ、１００万戸のペースで滅失しているわけではないので、少しずつではありますが、増えています。なぜなら、新築の住宅を買いたい人が多く、また新築のほうが銀行の融資が出やすいという風潮があるからです。

　都市部であれば、人口は基本的に増える方向なので、「不変」といっていい状況ですし、土地が余っていないので、不動産業者が新築住宅を供給したくても、立ち退きをさせなければ難しいでしょう。

　このような都市部のエリアは空地が少なく、今ある物件を壊して建てるので、部屋数が大幅に増えません。

　変動するものがあるとすれば、「貨幣価値」です。時間とともに貨幣価値が希薄になり、それがインフレへとつながります。一方で、建物が減価償却や経年劣化によって価値が滅失していくピッチもあるのですが、インフレのピッチが建物価値の滅失ピッチを超えれば、物件は値上がりします。

　建物の価値は滅失しても、土地や建物の価値がインフレに下支えされて、都市部の不動産価値はこの30年間で拡大しました。

　都市部の物件が、築30年であっても新築の販売時より高値で取引されるのは、そのためです。

　このようなエリアの物件が、値下がりしにくいといえるのです。

一方で、空いている土地が多く、新築を容易に建てられるエリアは、供給過多になるために、今後どんどん値下がりする可能性があるといえるでしょう。

▼行政力が高まっているエリアは値下がりしにくい

それでは、専門家ではない「素人」が、人口が安定しているのか、土地が供給しにくいエリアなのかを見極めるには、どうすればいいのでしょうか？

じつは非常に簡単です。実際に足を運んでみてください。少し街を見たり、エリアの歴史的な背景を見たり、もしくは行政の戦略をたどったりすれば、わかるでしょう。

たとえば足立区や千葉県の松戸市のように、人を呼び込みたがっている市区町村は、値下がりしにくいエリアといえます。

松戸市は住宅整備を盛んに行っているおかげで、ショッピングセンターや大きなモールの呼び込みに成功しています。人口が増え、商売が成り立ち、人も集まり、行政力（資金力）がつくという好循環に入っています。

一方で、隣接する流山市はいま人口が増えていますが、中長期で考えれば土地が余っています。つくばエクスプレスが開業したときに、一時的なマンションブームで新築マンションがかなり建ったのですが、人口流入で需要は追いつきました。人気が出たことで、その隣に新たなタワーマンションの建築が続いています。これを繰り返していくと、人口流入が追いつかなかったときに、不動産価格は下がっていくでしょう。

また、同じく隣接する鎌ケ谷市のように農地

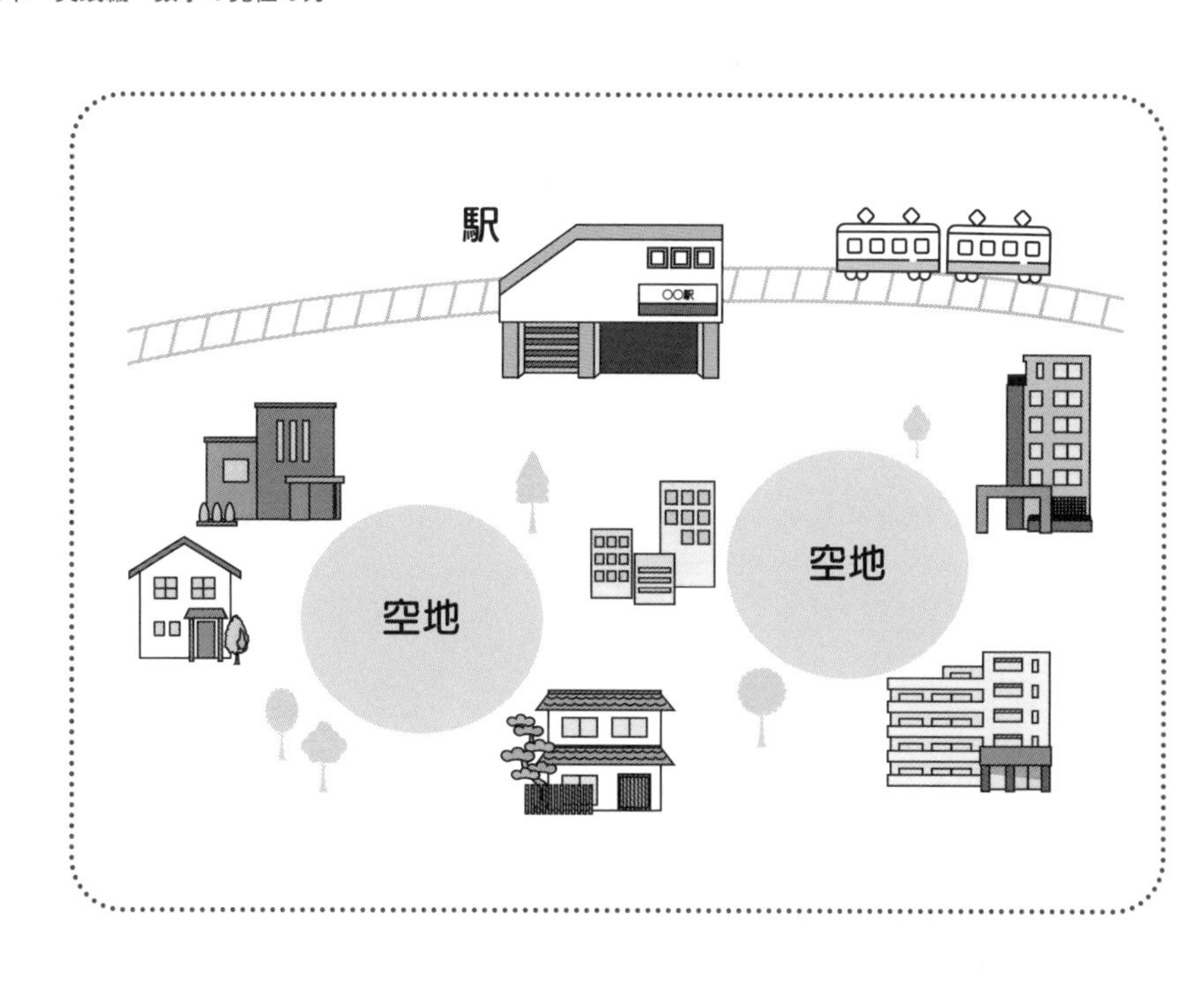

を大切にしているエリアは、人口は増えにくいでしょう。

港区の物件は利回りが3％を切ることが多いので、不動産投資を行うなら、足立区や松戸市のほうが有利であると感じます。判断するときには、「活況なところが長く続くだろうな。幕張は大丈夫、でも木更津は空き地が多いな」という感覚を持つことです。

千葉県木更津市は、平坦な土地が少ないということもあるかもしれませんが、アウトレットモール周辺も土地が余っています。木更津に新築を建てた場合、翌年以降も1・1倍ほど人口が純増していくかといえば、そうでもないだろうと誰もが思うでしょう。

空き地に対して人口が増えなさそうなところは、値下がりの可能性が高いといえます。流山市も、駅から徒歩10分のエリアは土地が余っているので、わたしは注意して見ています。

▼都心は利回りが低いため妥当な利回りのエリアを選ぼう

このようなロジックで考えれば、たとえば「港区の物件を買えばいいだろう」となるかもしれませんね。たしかに、「値下がりしにくい物件とは?」と聞かれれば、まさしくその通りです。ただ、港区の物件は利回りが3%を切る事が多いので、投資効率的には決してよくありません。

高額でもあるので、ビギナーの人たちには厳しい面もあります。ビギナーの人たちは、ここでお話ししたことを意識しながら、妥当な利回りのエリアを選んでいくのがいいでしょう。

市区町村の人口の推移は、インターネットで調べることができます。また、その市区町村の政策も調べられますね。まずは、「イメージ」をつくることが大切です。

また、前にお話しした通り、住宅地図を見ることも非常に大切です。ページを開いたときに、びっちりと家屋が書き込まれているエリアは、新たに住宅の供給ができません。

住宅密集地は、既存の住宅が滅失して新築が建つだけなので、純増せず、「100」から一度減って、元に戻る形になります。「100」のなかで、新築と中古が入れ替わっているだけなので、値下がりしにくいといえるでしょう。

▼街づくり、交通インフラの整備も、行政力の要素であると意識しよう

少しだけ、「行政力」の話をしましょう。

わたしたちが物件を選ぶときに慎重に見るポイントに、「街づくり」があります。

たとえば、ある市は再開発によって道路がまっ

行政は「街づくり」のカギを握っている
行政力のある街の物件ほど
資産価値の上昇が期待できる

すぐになり、街灯もきちんと設置されています。

一方で、隣接する市は街灯がまばらで、真っ暗な道路が続く場所があり、飛び飛びで住宅地があらわれます。

住宅地と住宅地をつなぐ道路が暗ければ、違う住宅地に住んでいるお友達のところへお子さんが夜自転車で行くのを、子育て中のおかあさんは怖く感じるでしょう。そのようなエリアは、おかあさんが好まないのです。

また、高速道路の出口を持ってくる、ＪＲの駅を持ってくるといった交通インフラの整備も、大きなポイントです。

購入したい土地・物件が、ビジネスを呼び込む、人口を呼び込むといった資金力のある行政地区なのかという点は、無視できません。

行政力のある市区町村の物件は、まず値下がりしにくいでしょう。

投資用物件に内包される土地と建物の価格の黄金比は「土地75％以上」

▼土地比率の高い物件を持つことが大切

前にお話しした通り、ローン元本の年間返済率は、年で約2％でしたね。1億円で購入した物件を10～15年持っていたとして、7500万円で売れたとすれば、少なくとも損失（「負債（ローン残高）」が「売却価格」よりも高い）になる可能性は低いでしょう。

それだけではなく、入居者の家賃によって10～15年で数千万円の資金回収をしているはずです。仮に月15万円のキャッシュフローを得ているとすれば、年間で180万円、10年間で1800万円資金回収をしていることになります。売却したときのローン残高が7500万円であるとすれば、この投資の10年経過時点の損益分岐点は、「7500万円マイナス1800万円＝5700万円」となります。つまり、5700万円以下で売れない限りは、損にはならないということです。

ちなみに、築古の物件が毎年1％ずつ値下がりするかどうかですが、結論は、そこまで値下がりはしません。

年の値下がり率が1％だったとしても、15年でも最大15％しか減りません。そう考えると、5700万円まで下がること自体も考えにくいでしょう。

つまり、土地比率の高い物件を持つことで、出口、つまり売却時の収支が安定しやすくなる状態をつくることが大切なのです。

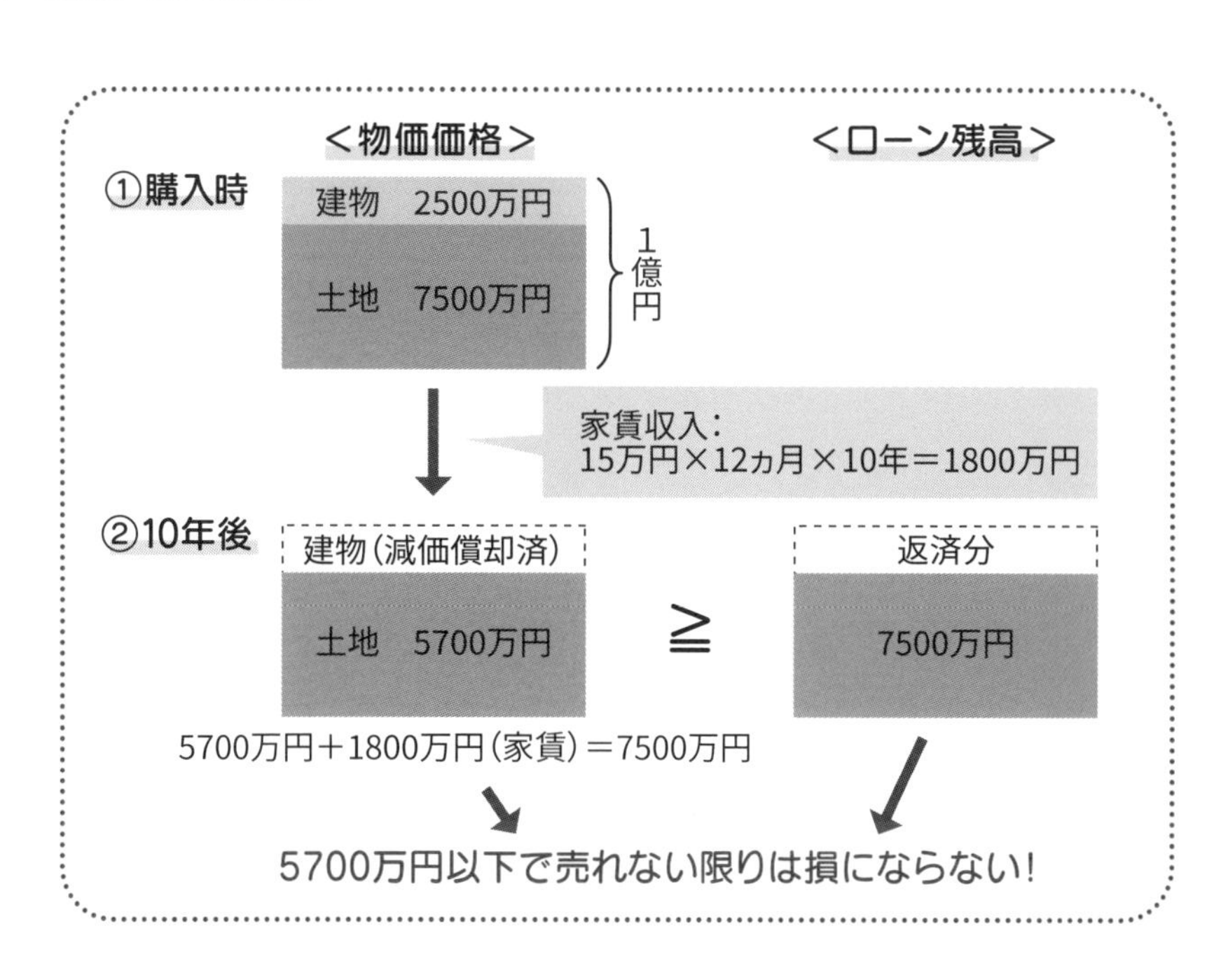

▼土地比率が高ければ、インフレによって次世代に恩恵を与えられる

さらに、インフレによる土地の値上がりも考えてみましょう。インフレ率を年1％と仮定して、30年で30％値上がりするとします（単利計算で考えます）。

1億円のうち、土地比率が2000万円しかない物件であれば、30％値上がりしても2600万円にしかなりません（2000万円×1・3）。

一方で、土地比率が7500万円であれば、9750万円になります（7500万円×1・3）。

つまり、土地比率が高いものを買ったほうが、長期戦略的にも次世代のことを考えたときにも、圧倒的に有利だといえるのです。

たとえば、おばあちゃんが狛江市に土地を持っていたとします。いまから二世代前の狛江市はまだ野原や農地が多く、いまほど多くの人も住んでいなかったでしょう。でも、いまはすっかり様変わりして、栄えるようになりました。

その狛江市の土地をおばあちゃんからおかあさん、そして自分へと相続されていくなかで、１００万円だった物件が３０００万円になったというような話は、よく聞くのではないでしょうか。

これは、土地を持つことでインフレの恩恵を受けた事象です。

昭和30年代に買うのと令和4年に買うのとで坪単価がまったく違うのは、貨幣価値が希薄になったからです。このインフレ率が高いほど、次世代、さらにその次の世代の人は喜ぶことでしょう。

そう考えると、建物比率の大きな物件を買って節税効果を得るのは、あくまでも極論ですが「エゴの強い投資」といえるかもしれません。なぜなら、自分の世代だけいい思いをしたいと考えてのことだからです。

一方で次世代のことを考えたときに、悪くないロケーションで、人口と物件供給量１００：１００が比較的に守られているエリアであれば、土地比率の高い物件を持ったほうがいいのではないでしょうか。

狛江市ではなくても、同じようなケースはよく見られます。

たとえば、おばあちゃんが倉庫にするために、もしくはおじいちゃんが農具を置くために50坪の土地を買っていたとします。当時の坪単価１万円が30万円になっていれば、30倍です。当時５０００万円の土地であれば、いまは15億円になります。

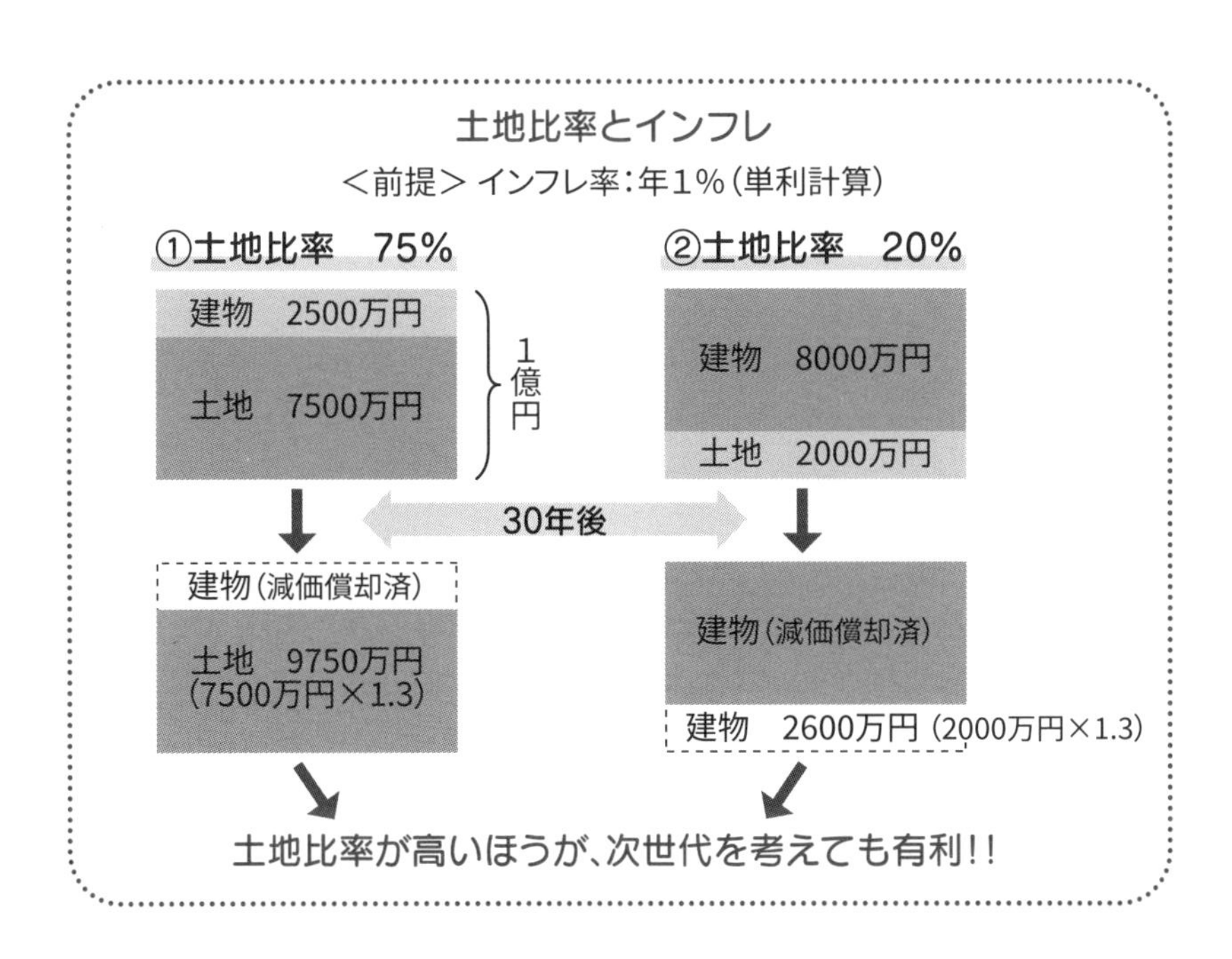

もちろん、高度成長期や人口爆発期、バブルといったものがあったので、いまの世代から数えて次の世代、そのまた次の世代のときに30倍にまでなってはいないかもしれません。

でも、中長期で考えれば、それなりの価値になっていることはあり得ますよね。

土地と建物の価格の黄金比は、「土地75％以上」。これを基本に考えていきましょう。

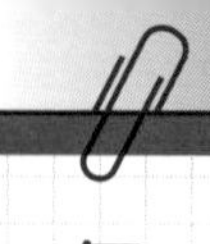

何年で損益分岐点を下回るのかを理解することが大切

▼基本構造を理解したうえで、土地比率、建物比率を戦略的に考えよう

すでにお話しした通り、不動産投資で「損」をしないためには、売却代金でローンを返済できる状態であることが必要です。物件の土地比率を把握し、元本の返済率を年2％と考えたときに、何年後に売却代金でローンが完済できるのかを理解しておくことが大切なのです。

この基本構造がわかっていれば、あえて土地比率の低い物件を買うという選択肢も出てきます。

たとえば、物件Aは土地比率75％以上、物件Bはキャッシュフローが出る物件、物件Cは節税のための建物比率が高い物件を買う。そのような投資がいくらに着地していくかということ、そしてそこに至るまでに何年くらいかかるのかを想定したり想像したりすることが、欠かせません。

先々どうなりたいか、という視点を持つということですね。

もちろん、不動産で利益を増やしていくことも重要です。

でも、たとえば年収4000万円ある人が2000万円を納税しているとすれば、とてももったいない話なので、課税所得を圧縮して納税額も圧縮する戦略も必要になってきます。

つまり、土地の比率が高い物件ばかりを買う戦略が常に有効なわけではない、ということです。

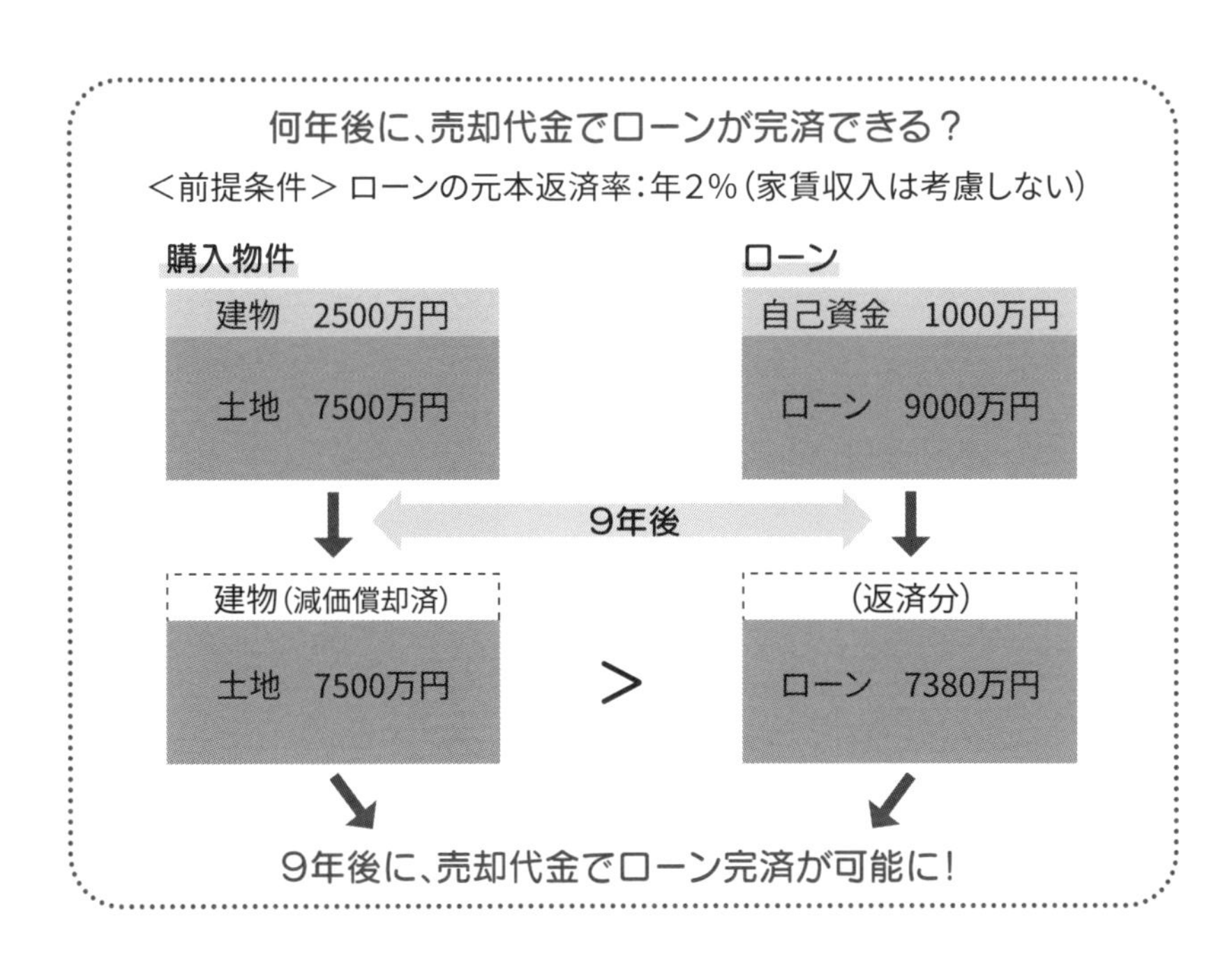

▼収入に応じて、節税も有効に活用することができる

前に、年収１０００万円未満の人は節税を考えなくてもいいという話をしましたが、逆に年収が１０００万円をはるかに超えてしまっている人であれば、節税を考えていいでしょう。

むしろ、新築のワンルームマンションといった節税商品は、所得税で最高税率45％がかけられている人たちのためのものといえます。

所有不動産を５年以内に売却をして利益が出た場合は約40％の税金がかかるところ、長期で保有した（所得期間５年超）物件の売却の場合は約20％の税率が適用され、最高税率の所得税と比較すると約25％圧縮することができる可能性もあり、節税効果としては大きいです。

ですから、収入が突き抜けている人は、積極的に節税策を取り入れるべきでしょう。

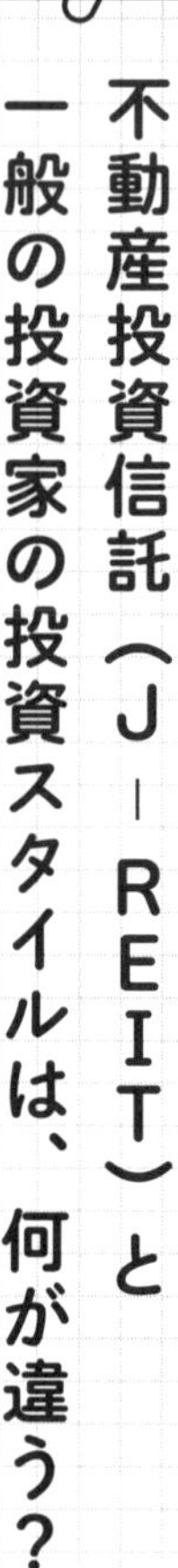

不動産投資信託（J-REIT）と一般の投資家の投資スタイルは、何が違う？

▼J-REITを「投資対象」「投資家」の両面から考える

不動産投資信託（J-REIT）は、上場している投資信託であり、一般の人も証券会社を通じて買えるものです。投資家から集めた資金などを元手に不動産を買い付けて、保有する不動産から受け取る賃料収入や不動産の売却益を投資家に還元しています。ですから、一般の人からすればJ-REITは、「不動産投資」のひとつといえます。

一方、J-REITは、投資家に還元する利益をあげるために不動産の買い付けや保有、売却を行っているので、「不動産投資家」であるともいえます。ここでは、次の2点の側面からお話したいと思います。

① 一般の投資家としてJ-REITを購入することと、収益物件を購入することとの違い
② J-REITと一般の投資家の不動産投資戦略の違い

▼J-REITを買う際には、レバレッジを利かせることはできない

まず、一般人としてJ-REITを買い付ける場合と収益物件を購入することとの一番大きな違いは、レバレッジが利くか・利かないかというところです。J-REITに投資する場合は「自己資金＝投資資金（レバレッジを活用できない）」であり、収益物件を購入する場合は「自己資金＋借入資金＝投資資金（レバレッジを活用できる）」ということです。

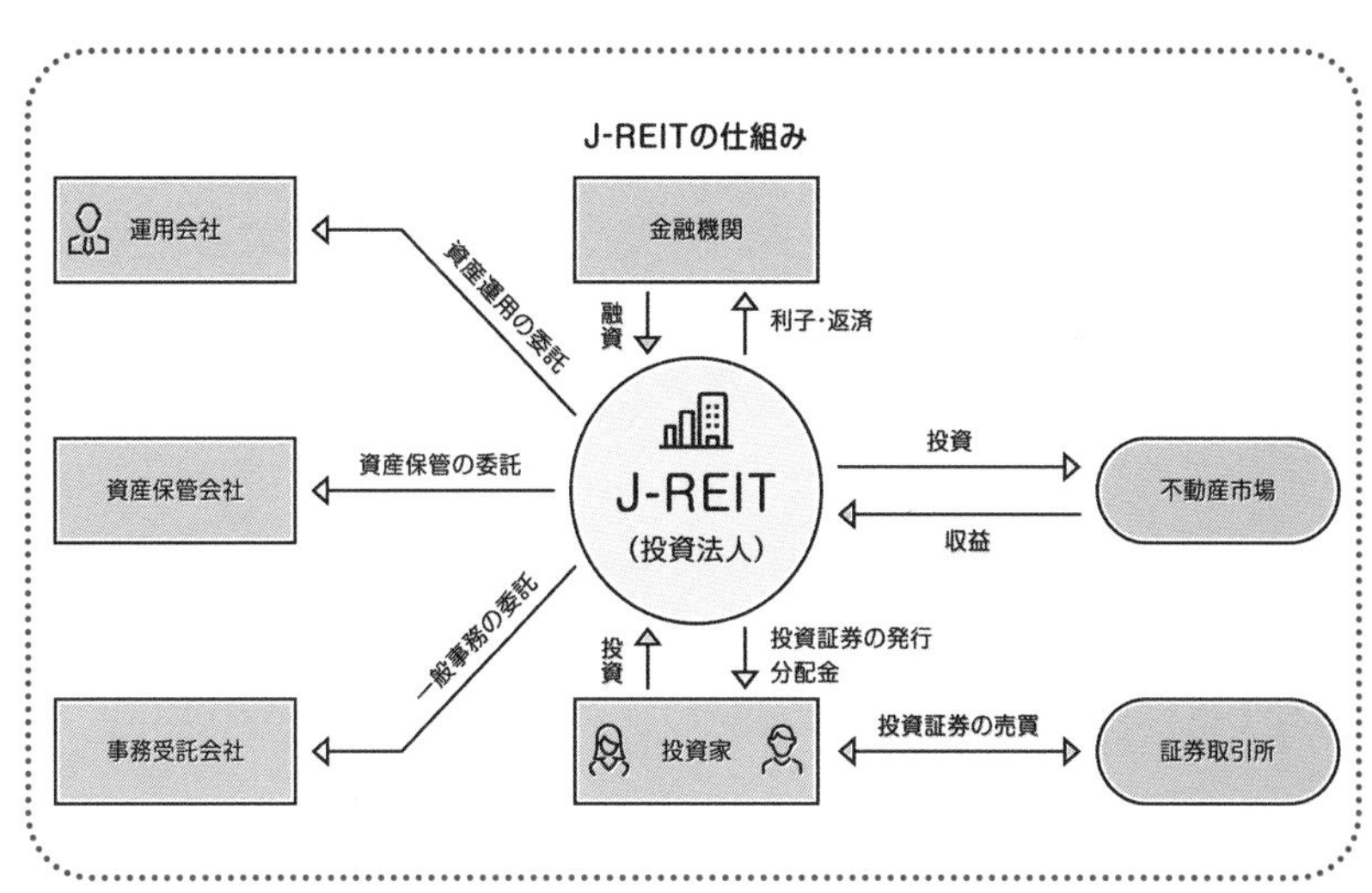

引用：投資信託協会「J-RIET の仕組み」（https://www.toushin.or.jp/reit/about/scheme）

ＪＲＥＩＴは、借りたお金で買うことができないので、自己資金で買わなければいけません。それに対して一般の不動産投資の場合は、自分で貯めたお金を種銭にして、金融機関から融資を受けてレバレッジを利かせ、投資物件を買う、というのが一般的です。

つまり、ＪＲＥＩＴは手元にある範囲のお金でしか買えず、一般の不動産投資はレバレッジを利かせて、手元資金の数倍の物件を買うことができます。投資家から見たＪＲＥＩＴへの投資と不動産投資の違いは、このレバレッジが使えるか使えないか、ということに尽きるでしょう。

▼ＪＲＥＩＴは長期保有が基本

次に、ＪＲＥＩＴと一般の投資家の不動産投資戦略の違いについてです。ＪＲＥＩＴは、一般の投資家と同じくレバレッジを利かせるために、投資家から集めた資金だけでなく、金融機関から借入を行っています。SPC（特別目的会社）という組織が、「ノンリコースローン」という名前の借入金で調達しているのです。ノンリコースローンというのは通常の融資とは異なり、代表者が連帯保証人になる必要がなありません。

この資金を使って購入した物件から得た家賃収入（インカムゲイン）、保有する物件の売却益（キャピタルゲイン）を元手に、借入金融機関へ利息を支払い、投資家への配当を行います。

ただ、リーマンショックの暴落のときのように保有資産が一定の評価額を割り込んだ場合、差額をファンドの運営側が手配しなければならず、差額の負担ができないときには保有する物件すべてが差し押さえられて、ファンドが解散となってしまうのです。また、投資家が離れていかないようにするためには、ファンドが値上がりしたり、投資家が魅力に感じる運用をしたりしなければいけません。

ですから、多くの投資家から安心して賛同を得られる物件でなくてはならず、都心の物件などキャッチーな物件をひとつのファンドに組み入れながら、不動産投資をしています。

もしくは、投資家が満足するような利益還元をするために、キャピタルゲインを狙って保有することが多く、比較的に短いスパンで不動産を売却することもあります。

一方で一般の投資家は、物件の平均保有期間が25年といわれるように、短期間でキャピタルゲインを狙うのではなく、長期で保有しながらインカムゲインを得ていくことを基本に考えるべきです。J－REITは出資者のため、そして一般の投資家による不動産投資は自分のため。これが、両者の不動産投資戦略の違いとしてあらわれているといえるでしょう。

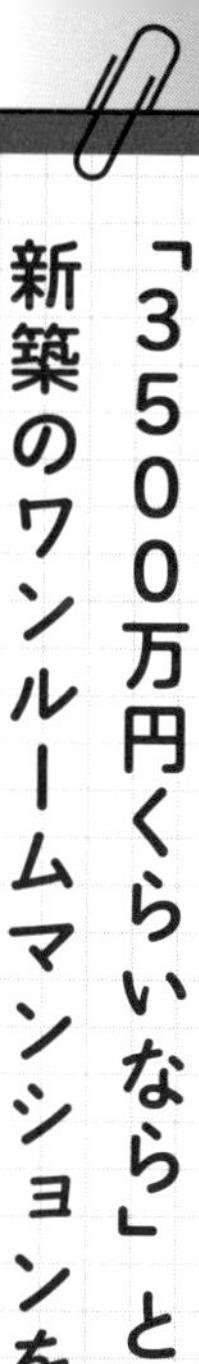

「3500万円くらいなら」と新築のワンルームマンションを買ってしまうことの落とし穴

▼「投資家満足度」が高い「順張り」ほど、落とし穴にはまりやすい

新築のワンルームマンションは、不動産投資の世界では「順張り」です。これは、順張りが悪になるという話であるといえます。

つまり、「場所もいいし、銀行からの融資も出やすい。価格もこれくらいであれば、買っても大丈夫だろう」というように、銀行も含めてみんなが後押ししてくれるような状況だから購入する、ということです。

本当に安全なのかは、疑問です。表面的な「投資家満足度」が高いなかで購入することで、逆に損をする可能性が高いでしょう。

はまってしまう「落とし穴」は、はじめる前は「とてもいいはずだ」と思っていたにもかかわらず、いざ運用をはじめたらまったくダメだった、というものです。

キャッシュフローが低い、もしくはマイナスになること、そして売却したときに逆ザヤ（ローン残高が売却価格よりも高額）になってしまうことが、落とし穴なのです。

▼銀行が後押しする案件は、「確実に回収できる」という思惑があるから

3500万円ほどの新築ワンルームマンションについては、たしかに銀行は後押しをしてくれます。でも、銀行にはもっとシビアな思惑が存在するのです。

銀行がもっとも懸念するのは、ローンが不良債権化することです。もっとも、不動産投資ローンで初年度から債務不履行になるような人はいません。ローンの返済がはじまって10～15年が経過した頃には、3500万円のローンは2700～2800万円くらいになっています。そのときに、この物件の販売価格は2500万円くらいになっているでしょう。

もしこのときに債務不履行になって物件を売却し、ローンを返済しなければならなくなったとしても、200～300万円くらいであれば、返済してもらうことは可能です。

たとえば年収600万円くらいの個人投資家でも、自己資金から拠出できるかもしれません。あるいは、消費者金融といったところからお金を借りてもらえば、回収不能には陥りません。

銀行には、このような思惑があるのです。つまり、「最終的には、ご自身でどうにかして返済してくれますよね？」という銀行の思惑があって、個人投資家はこの思惑に気づいていないということです。まさに「ひっかけ問題」ですよね。

新築マンションの家賃は15年程度の期間が経過すると家賃は首都圏で15～20％くらい落ちます。その場合は、物件価格がほぼ必ず下落します。およそ2000～2500万までは15年で下落していることが多いです。

ですから、3500万円くらいの新築物件であれば、15年後には2500万円になるでしょう。そのときの残債が2600万円ならば、100万円が不足します。まじめに働いている年収600万円くらいの人であれば、消費者金融で200万円くらいは調達できます。ですから、銀行としては回収不能に陥るリスクをほとんど感じなくて済むのです。

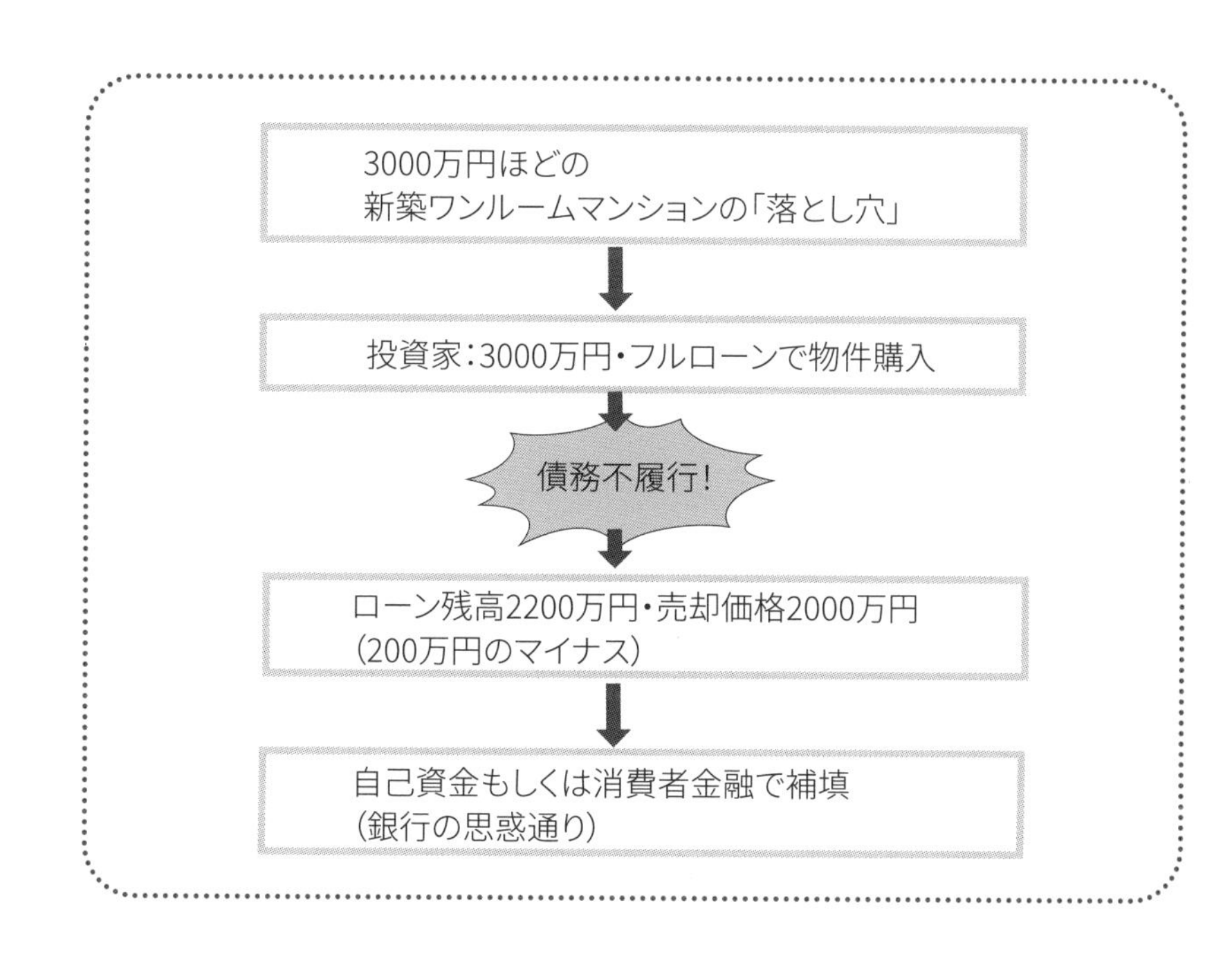

最終的には差し押さえをして返済を迫るという強制力を持つことで、個人投資家に危機感を持たせながら返済をさせることができるので、債権回収をラクに行うことができます。

銀行がこのような商品の購入を後押ししている背景には、「確実に回収できる」という思惑があるのです。銀行からすれば「自分たちの資金回収ありき」のスキームに、投資家が乗ってしまうという図式です。**個人投資家としては、安易に乗っかってはいけません。**

▼「インフレトーク」に安易に乗らないようにしよう

よくあるワンルームマンションのセールストークに、「都内のマンション用地の値段がインフレで上がっているので、持っておいたほうがおトクです。不動産は、インフレに対して強い資産です」という話をします。それは、まさにその通りです。

では、その担当者は5年後の日経平均株価を答えられるかといえば、絶対に答えることはできません。5年後の日経平均株価がわからないということは、じつは「5年後の不動産価格もわかりません」と答えるのが正しいのです。なぜ主要10区が日経平均株価と連動するかといえば、投機的な資金（短期間での値上がりを期待する資金）の動きの影響を受けるからです。

たとえばJ－REITには、お金がだぶついているときにお金が集まってきます。東京都では主要10区、そして大阪、名古屋のメイン駅の周辺は、ファンドやJ－REITが持っている物件が多くなっています。つまり、投機的なお金がマーケットに入っているのが、主要10区を中心とするエリアなのです。その投機的なお金が抜けていくときに、株価が大暴落します。

日経平均株価が不動産相場と連動性を持ってしまうのは、そのためです。投機的な資金、つまり値上がり益を狙った流動資金は、いつも行き場を探しています。日経平均株価が海外の金利やアメリカのダウ平均にすぐ反応するのは、これが理由になっています。

実態のない「上澄み」であり、一見好調に見えていた投機的な資金がネガティブな要素を感じて一斉に引き上げてしまうのが、リーマンショックのような出来事です。

J－REITも投機的な運用をしている面があり、投機的な資金が入ってくるのですが、お金が同時に逃げてしまえばJ－REITが買っているエリアの土地価格も連動して下がります。

実際に、新築ワンルームマンションの販売

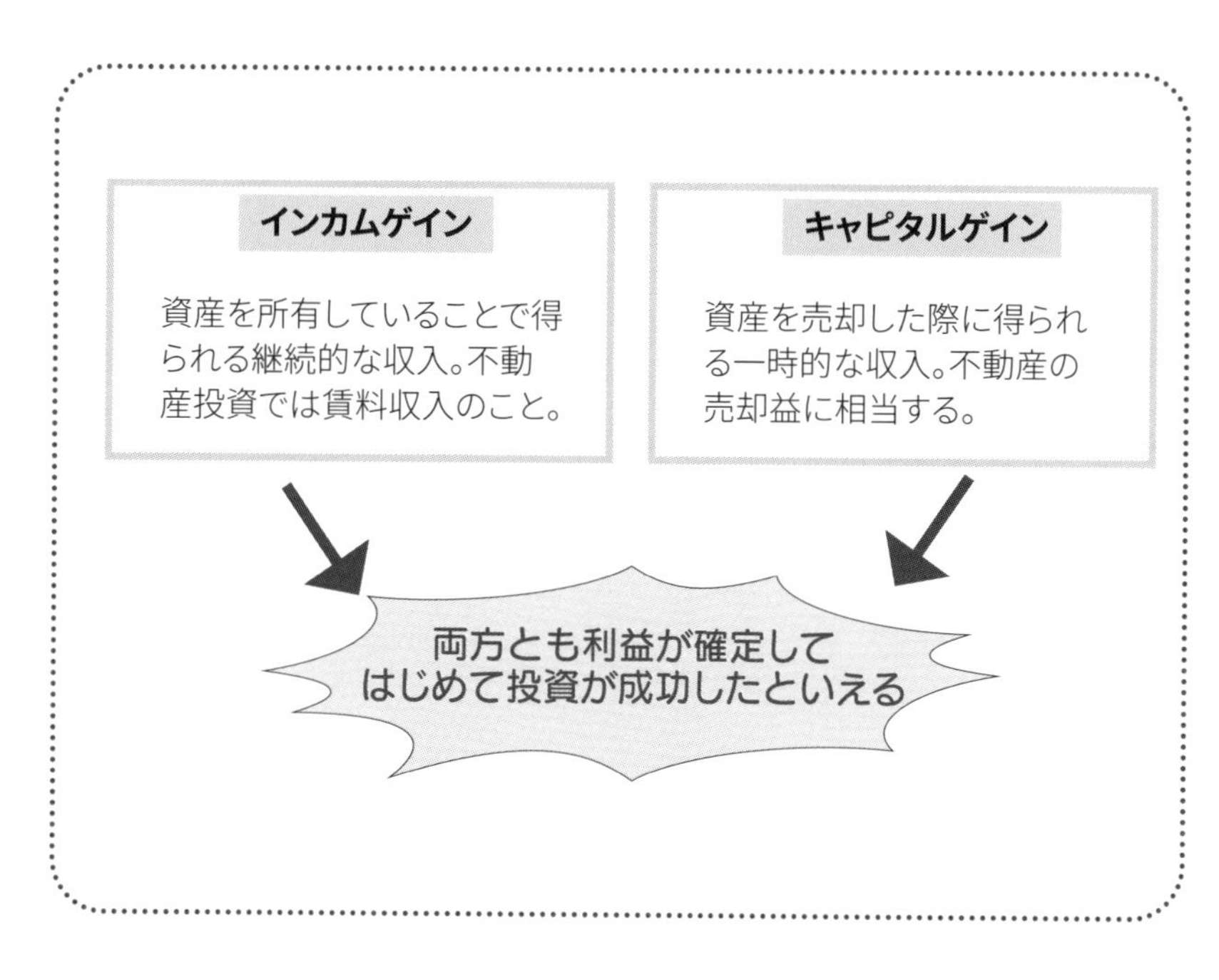

会社がよく売っているのは、主要10区や横浜といった、Ｊ－ＲＥＩＴが買うような物件の周辺にあります。そのほうが、投資家の納得感が高いからです。

多くの投資家は、「表参道なら大丈夫だろう」「横浜駅から徒歩10分なら大丈夫だろう」と考えるのですが、売却価格の想定ができない、利回りが低くて基本は逆ザヤ、よくてもトントン……と見ていくと、売却価格も不透明で、逆ザヤになる可能性も高いでしょう。

投資における要素はインカムゲインかキャピタルゲインしかないのですが、どちらも棄損してしまうことになり得ます。これが、まさに落とし穴なのです。ところが、多くの知識人が知ってか知らずか、年収５００～６００万円の人たちを煽って購入を促しているのです。安易に乗らないよう、注意しましょう。

節税するより、税金を納めたほうがいい

▼まずは拡大戦略を採り、税金を納めつつ利益をしっかりと累積しよう

不動産投資の目的のひとつに、「資産形成」があります。資産形成をしたいということで、不動産投資に取り組んでいる投資家は多いでしょう。

でも資産形成は、利益が累積されることによって可能になるものです。つまり、損金が計上され続けるような状態では、資産をつくることはできません。ですから、益金をつくり、その益金を累積させて、資産形成をしていくことが大切なのではないでしょうか。

もちろん、利益に対して何もせずに無駄な税金を払うような体制を改善することも大切ではあります。でも、基本的には拡大戦略を採っていくべきでしょう。

利益を出し続けてバランスシートを拡大することによって、純資産（自己資本）が増えていきます。自己資本のレベルが上がれば、銀行は「この人、もしくは組織にお金を貸しても、資金回収はラクにできる」と理解し、次々と融資をしてくれるようになります。

ですから、まずは銀行がお金を貸してくれるような状況になるまでしっかり利益を累積することが大切です。

変に節税へ走るよりも、納めるべき税金をしっかり納めて、利益の蓄積を材料に融資を受けて、規模を拡大していきましょう。

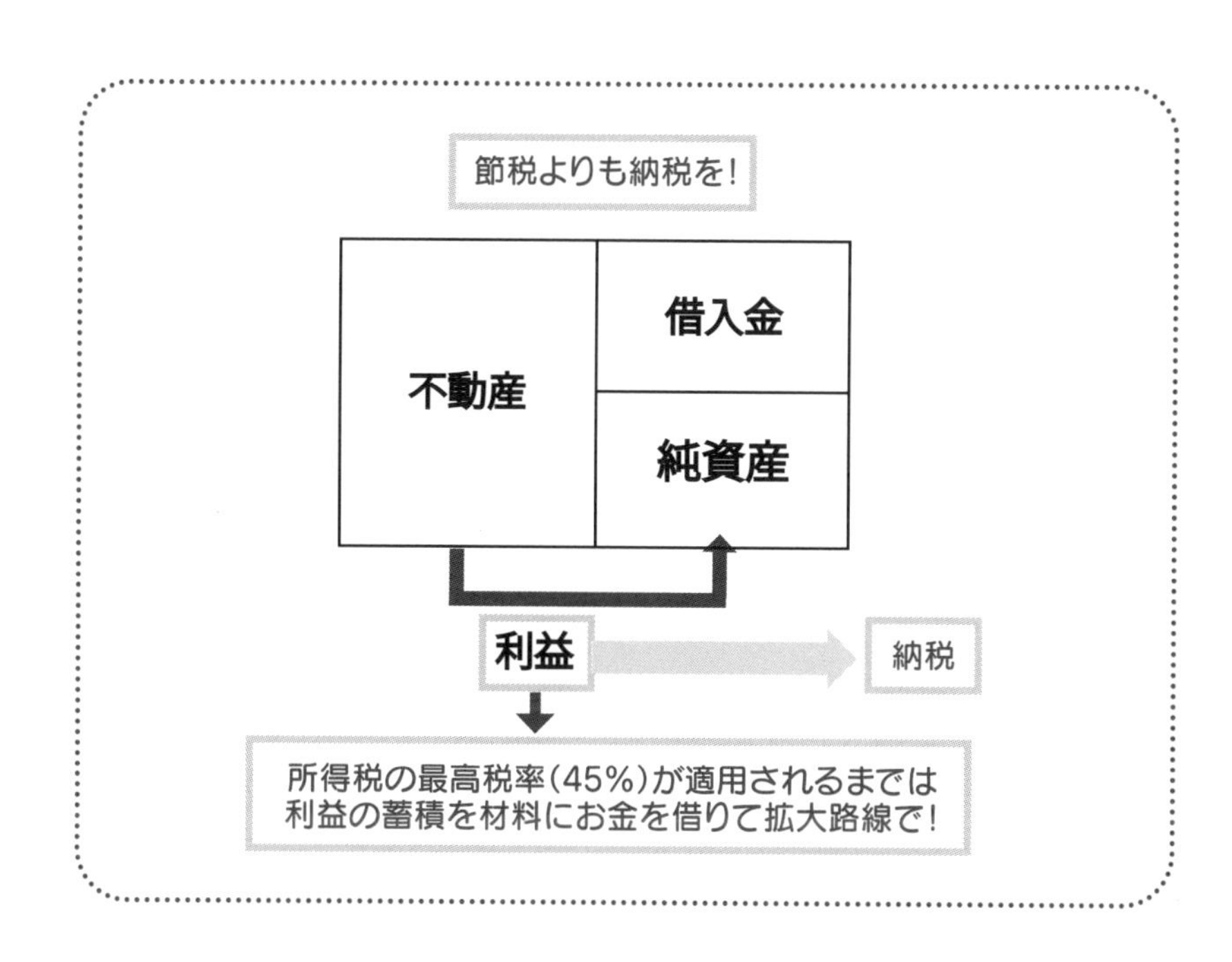

▼所得税の最高税率（45％）になったら、節税も考慮した戦略を

では、「ここまできたら節税に舵を切ってもいい」というラインはどこにあると思いますか？

目安になるのは、所得税の税率です。所得税の最高税率（45％）が適用される場合は、節税を考慮した不動産取得戦略をとっていくべきでしょう。

たとえば、年収5000万円以上のサラリーマンは、最高税率に近づきます。このような人が財産をつくろうと思っても、仮に現状で1億円の現預金があるならば、優先順位が変わってくるでしょう。

もちろん資産をつくることも大切ですが、いまの与信力で少なくとも3〜4億円くらいの不動産を買うことができます。そこで選ぶ不動産の土地比率が80％であれば、4億円のうち

3億2000万円が土地の部分になって、内部留保資産が拡大し、課税所得も上がり、せっかく不動産からあがったキャッシュフローが飛んでいってしまいます。キャッシュフローを守るには、欠損金をつくりながらやっていく必要があるのです。

そもそも1億円の現預金があり、3億円ほどの不動産資産があって、本人の年収も5000万円あれば、その時点で銀行は高い評価をします。「事業規模」であるとみなして、今後も円滑な関係が続き、資金調達もスムーズになるだろうと考えるのが妥当です。このような人は、積極的に損金計上できるといえるでしょう。

一方で、年収1000万円、自己資金が2000万円程度であれば、「それなりにお金持ちではありますが、プロパー融資（※）は出せません」と言われてしまいます。銀行が不動産担保ローンを自由に出してくれるまでには至っていません。

まずは、事業規模にしていくことと、規模に合わせて投資戦略を変えることです。つまり、所得税の税率が最高税率になったら、節税も考えた不動産ポートフォリオを構築すべきであるということです。

不動産資産や現預金、負債といったものすべてをバランスシートにあらわして、純資産（自己資本）が1億円を超えている場合は、「フレキシブルな戦略」を採っていきましょう。

これは、ローントゥーバリュー（負債÷総資産価値）を下げる、という考え方でもあります。純資産1億円規模になれば、「とにかく資産形成、財産を増やす」ということだけではない投資を意識すべきです。

※事業性融資ー事業者が受ける融資枠のこと

3章

実践編

～銀行との付き合い方～

取引銀行を自慢する「銀行マウンティング」はまったく意味がない

▼大手銀行から借りるよりも、自分に寄り添ってくれるパートナーを見つける

会社を経営している人ならば、「最終的にはメガバンクから融資を受けられるようになろう」と考えるかもしれません。ところが、不動産投資に関しては、当てはまらないと考えましょう。

一般常識として、たとえばスルガ銀行から融資を受けるのと三井住友銀行（ＳＭＢＣ）から融資を受けることを比べれば、「ＳＭＢＣで借りたほうが、ステータスが高い」というイメージを持つでしょう。でも、それは違います。

もっと大切なのは、「いかに自分に寄り添ってくれるパートナーを見つけるか」「いかに、投資家のしたいことや投資家のビジョンを叶えることに協力してくれるか」ということです。

じつは、銀行にこだわることも、「不動産投資の落とし穴」のひとつであるといえるでしょう。

融資先にオリックス銀行や三井住友トラスト・ローン＆ファイナンス、アサックスといったノンバンクが入っていると、金利が高いためにジャンクに見えてしまい、「自分はこれだけしか信用がないんだ」と誤解しがちです。「自分はもうこれ以上借りられなくなるのではないか」といった強迫観念が出てきやすいのですが、まったくそんなことはありません。

むしろ、銀行に迎合するのではなく、ご自身がやりたいことを軸にして、やりたいことを叶えるための「道具」として考えましょう。

▼「自己資金を少なく・長く借りる」ほうが投資としては正しい

そもそもメガバンクと取引できる人は、「特別優遇者」です。この特別優遇者であるという称号を獲得したいがために、メガバンクや大手地方銀行と取引をしている、役員クラスの決裁を受けた、といったことを言いたがるのですが、それは単なるステータスに過ぎません。

もしメガバンクで1億円しか借りられないのであれば、地方銀行やノンバンクで4億円借りられたほうがいいのです。

たしかにメガバンクから融資を受けたほうが、金利が安めになります。ＴＩＢＯＲ（東京銀行間取引金利：東京における主要銀行間の取引金利）といった低い金利で調達できるので、貸付金利も安くなるのです。

でも、メガバンクでは、年収５０００万円、自己資金1億円以上でも不動産投資ローンを借りられない場合があります。これは、自己資金が2億円以上なければ借りられない、というレベルです。

そのような取り扱いのなかで無理に取引しようとしても、銀行に主導権がある状態になり、「銀行様」に迎合しなければいけなくなってしまいます。たとえば、1億円の物件を買うために30％の自己資金を入れなければいけません。その代わりに、借入金利1％、借入期間が20年という条件になります。

不動産投資としては、自己資金10～15％、金利2％以上でもいいから、借入期間を30年にしてもらったほうが正しいのです。

自己資金が1億円の場合、1億円の物件を買うために30％充当していてはもったいない話です。1億円の物件を3つ買えば、自己資金がなくなってしまうからです。一方で、自己資金10％でいいのなら、手元の1億円で10億円分の物件が買えることになります。

手元の1億円で3億円分の不動産資産しか持てないのと、10億円の資産を持てるのとでは、どちらがいいでしょうか？

もちろん後者の10億円ですよね。借入先がノンバンクであっても、まったく関係ありません。

銀行に迎合するよりも、やりたいことを叶えるほうがはるかに大切なのです。ですから、わたしにとってメガバンクから融資を受けているかどうかは、箸にも棒にもかからない話です。

▼ネームバリューやステータスよりも大切なのは、「いくら儲かるのか」

銀行のブランドにこだわるのも、前にお話しした不動産選択に関わってくる話でしょう。

イメージ先行の、主観的な意思決定になっているということです。不動産投資の現実を理解していないために、どうしてもネームバリューを気にしたり、ステータス性を重んじたり、といったことになってしまいます。

でも、ネームバリューやステータスが何の役に立つのでしょうか？　優先して考えるべきなのは、「いくら儲かるのか」ということなのです。

どの金融機関から融資を受けて、どのような物件を買っているのかなどは、重要ではありません。

ところが、意外と気にする人がとても多いように感じます。銀行も物件も、主観やステータス、満足度といった、投資効率ではない部分で選んでしまうことが問題なのです。

よく投資家の会で、「俺はＳＭＢＣでお金を借りている。君は地銀なの？　ノンバンクなの？」と誇らしく語る人は、かなり多く見られますが、この手の「マウンティング」はまったく意味がないということを知っておきましょう。

重視すべきはいかに自己資金が少なく、低い金利で、長期間借りて、投資物件を買うか

▼不動産投資の理想に「近づけていく」ことは大切

「投資物件を買うには、自己資金を少なく、安い金利で長期間借りましょう」と言われれば、まさに「その通りです」としか言いようがありません。

このような条件を獲得するには、やはり銀行とのお付き合いや不動産の取得戦略、自己ポジションの理解、客観的に見た（銀行視点で見た）自分の経済力の理解といったことに取り組んでいけば、理想に近い買い方になっていくでしょう。

▼最初から理想にこだわらず、自己資金、金利、期間の1～2個を満たせば購入

ところが、これから不動産投資をはじめる人、もしくははじめたばかりという人にとって、自己資金を少なくするのは難しいことです。

ですから、理想は理想として、最初から理想にこだわりすぎないことも大切になってきます。

まずは、「いかに投資物件を買うか」ということを考えましょう。

たとえば、「自己資金を少なくする代わりに、金利は高くなったけれども長期で借りられたから、よしとしよう」「自己資金を多く入れて、そこそこの金利で長期の融資を受けられたから、よしとしよう」というように、自己資金、金利、期間のうち1～2個の希望を満たすのであれば、積極的に買っていけばいいということです。

もちろん、理想はすべての要素を満たすことです。でも、これは男性に向けた質問ですが、たとえば美人女優やモデルレベルの容姿で性格もすばらしい。さらにお料理もできて、束縛しないような女性がいるでしょうか？　いるはずがありません。

ところが、不動産投資の初心者にもかかわらず先ほどの３つの要素にこだわる人は、いまのようなことを言っているのと同じなのです。

あくまでも「たとえ」ですが、自分のルックスはそれほどでもないのに、完璧な女性を求めるようなものです。無理な条件を無理に出していては、結婚することはできないでしょう。

不動産投資でいえば、永久にはじめられなくなってしまいます。木村拓哉さんのようになろうと思っても、無理な話ですよね。

無理なことを突き詰めても仕方がありません。自分が納得できる妥協点を理解すること、つまり自分の経済的なポジションや立ち位置を理解することが大切です。

ご自身が木村拓哉であれば、もちろん選択肢は増えるでしょう。でも、一般の投資家で「少しハイクラス」な人は、決して木村拓哉さんではありません。突き抜けているわけではないのです。

条件の優先順位を決めて、その条件をクリアすれば投資をしよう、というマインドにしていくことが大切なのであり、すべてを満たそうとする必要はありません。

理想は理想として重視するべきですが、現実は現実として考えることが重要なのです。

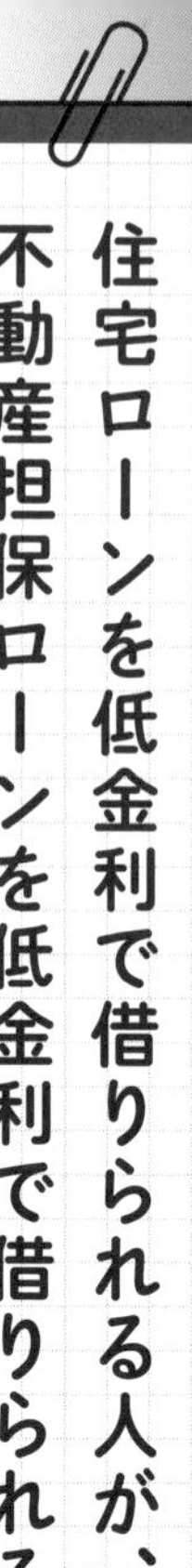

▼不動産担保ローンと住宅ローンとは戦う相手が違う

先ほどの話に続きますが、「自分は住宅ローンを低金利で借りられる人間だ」というのが、自分がイケメンで超性格も良くて優秀であると誤解する要素なのです。

銀行の住宅ローン窓口に行くと、たとえば年収８００万円で預金が５００万円あれば、特別扱いしてもらえます。収入が８００万円を超えてくるのは全人口の13%ですから、当然といえば当然の話です。そして、諸費用も含めてフルローンを希望すれば、銀行からは神様のように扱われます。

「素晴らしいご年収ですね。すぐに審査をしましょう！　金利も、特別金利をご用意します」

といった扱いです。ここで、勘違いをしてしまうのです。

もしかすると、「勘違い」という言葉は適切ではないかもしれません。言い換えれば、「戦う相手のレンジが変わった」ということです。

いまの日本の持ち家率は5割を超えているので、シンプルに考えれば2分の1以上の確率で住宅ローンを使っていることになります。

ところが、不動産投資の世界は違います。オールジャパンの代表ともいえる、2%以下の人たちしか、投資用不動産を買っていないのです。住宅ローンをいい条件で組めるからといって、買える保証はありません。

たとえるなら、「彼はこの街の木村拓哉だ」と地元で言われていたのに、いざ全国レベルにな

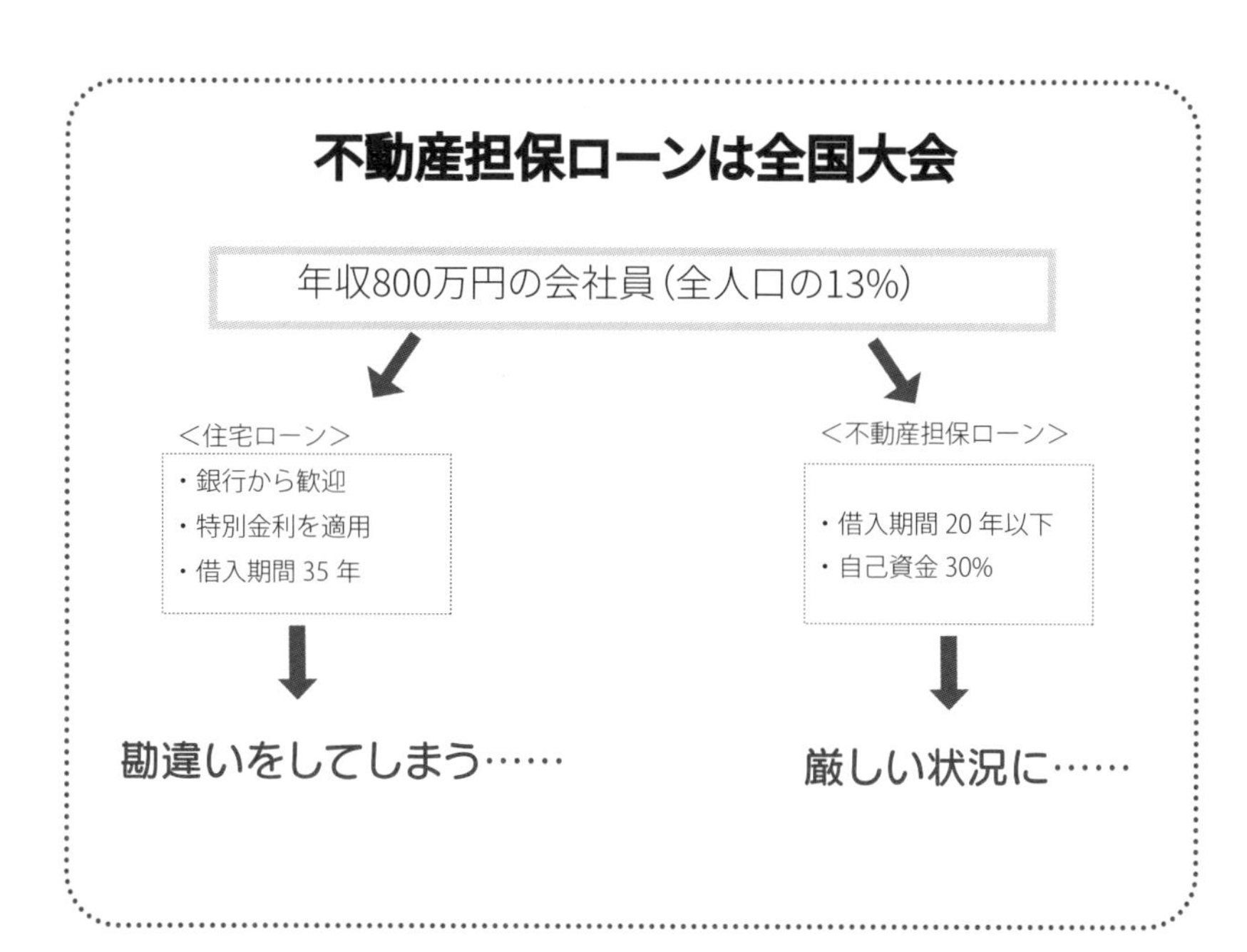

ればまったく勝手が違った、ということです。

「地元の木村拓哉さん」が、「俺は木村拓哉だから、不動産投資ローンをメガバンクが貸してくれますよね？」「自己資金はありません」と言っても、それは勘違いであり、相手になどしてもらえません。

不動産担保ローンは「全国大会」、高校野球でいえば甲子園のようなものですから、住宅ローンで特別扱いされても、決して特別扱いをされるわけではないと考えるべきでしょう。

「不動産投資の経験がありませんが、年収は5000万円です」「自己資金が2億円あります」と言っても、事業性の担保が取れないために、自己資金30％、借入期間20年以下、といった厳しい条件を出されてしまいます。

そして、「こんなはずではない」「いまは銀行の融資が厳しい」「不動産会社の交渉力不足だ」

と、誰かのせいにして不動産投資を諦めてしまう人が多く見られます。不動産投資ローンの実行率が住宅ローンと比べて極めて低いのは、そのためでもあります。

▼住宅ローンが好条件の理由を知れば、不動産担保ローンの条件も納得できる

もっとも、そのように感じてしまうのも仕方のない面もあります。

いまの住宅ローンは、変動で借りれば年0・6％くらい、団体信用生命保険つきなので借主が亡くなってもローンは保険から返済されます。

いまでは三代疾病保障まで付加されているのが一般的です。諸費用や保証料、仲介手数料、リフォームローンまで貸してくれます。

つまり、8000万円の物件に対してプラスアルファで2000万円、合計で1億円くらい借りることができます。しかも、35年返済です。

一方で、不動産担保ローンは30年返済、金利が2・9％。金利が約5倍です。「え？」と感じるでしょう。金利が2％を超えると、多くの人が口を揃えて「金利が高いね！」と言います。それは、比較対象である住宅ローンと比べるからです。

「こんな金利、ぼったくりのようなものですね」「不動産会社がバックマージンをもらっているのでは？」という声も聞きますが、もちろんバックマージンなどありませんし、そもそもぼったくりではありません。

住宅ローン金利は「短期プライムレート（2022年7月時点で年利1・475％）」に1％を足した、約2・475％が一般的な基準金利になっています。

住宅ローンの場合、その基準金利から「金利優遇分」の1・8～1・9％ほどを引いて、年利0・6～0・7％くらいになっているのです。こう考えると、年利が2％を超えていても不思議はありません。住宅ローンに関しては、「夢のマイホーム」のお手伝いという旗印のもと、このように利用者にとって有利な条件になっているのです。

シビアな話をすれば、銀行は、住宅ローンに関して返済不能にならないよう意地でもがんばるであろうことを理解しています。借入人にとって、自宅を取り上げられるのは非常に困ることなので、何が何でも返済する、というマインドが前提になっているのです。

住宅ローンは、「夢のマイホームのお手伝い」という名目で成り立っていますが、現実的には「意地でも返し続けますよね」ということが前提になっています。ですから、「住宅ローンは意地でも返してくるけれども、投資型は決してそうではない」というのが、銀行の認識なのではないでしょうか。

銀行の姿勢を考えれば、不動産担保ローンは住宅ローンのように低金利で借りられるものではない、ということがわかってきますね。

借入条件を、交渉で優位にするために必要なこととは？

▼いろいろな銀行から話を聞くか、慣れている人に任せるか

不動産担保ローンに関する銀行とのご縁は、まさに「お見合い」と同じです。

銀行のレンジを下げていけば、ほかの銀行で特別優遇されない人が、ある銀行ではいい条件を出してもらえることもあるのです。

つまり、銀行の条件と自分のいまのポジションをしっかりと理解して、適正な金利と適正な条件で借りることを意識することが重要だといえるでしょう。

繰り返しになりますが、いくらモデル級の美女にアプローチしても、それなりの人でなければ見初めてもらえません。それと同じことです。

では具体的にはどのようにすればいいでしょうか。可能なら、まずはいろいろな銀行に話を聞きに行ってみるのもいいのでしょう。

ただ、貸してくれるかどうかわからない銀行に毎週通っている投資家さんもいるのですが、基本的に銀行は、中古物件への融資には後ろ向きです。常に資金を出してくれる銀行は数行しかない、というのが現実です。

こういった状況のため、わたしたちのような不動産会社が対応しているのです。不動産会社にもよりますが、わたしたちは投資家さんの状況や金融機関の特性を日々リサーチしていますし、投資家さんが集めてきた資料をもとに、銀行に対して日々プレゼンしています。

最近では派遣社員がローン申し込みの受付をしている銀行の窓口ではなく、不動産担保ロー

ンを専門に扱っているローンセンターに直接アクセスすることもはじめました。

業務に精通している専門家から話を聞いたうえでプレゼンするので、稟議を通しやすい面もあるのです。

もちろんいろいろな銀行に聞いてまわることも大切ではありますが、忙しい人も多いので、決して簡単なことではないでしょう。ですから、代わりに行ってくれる人や会社を探し、慣れている人に任せてしまうのもひとつの方法です。

▼銀行から好かれる財務状況ならば、アピールの材料になり得る

銀行から融資を受けるためには、前にお話しした通り、「利益を材料に」交渉するに越したことはありません。

法人であれば決算書、個人なら確定申告書で

どれだけの利益があるのかをアピールできれば、交渉を有利に運べる可能性があります。

銀行は、決算書や確定申告書、借入一覧、物件資料を俯瞰で見て、ローントゥバリュー（負債÷総資産価値）を計算します。バリュー、つまり物件価値や現預金の合計が負債を大きく上回っているときに、銀行は貸したいと思うわけです。

「この会社、もしくは個人にお金を貸しても、債務超過はしないな。しかも、自行に毎年300万円くらい貯金をしてくれている」となれば、十分なアピールになる可能性があります。

たとえば2つの銀行で比べていたときに、片方が融資を渋った場合には、「それではいままで貯めた預金を解約して、ほかの銀行に移します」と伝えることで、状況が変わるかもしれません。

それなりの取引がある顧客に離れられてしまえば、担当者は上司からお叱りを受けることになります。そういったことを担当者は嫌うので、対応が変わるかもしれません。

もっとも、銀行にアピールするには、銀行から好かれる財務状況にすることが不可欠です。細々と利益や所得をカットしていても、「事業レベル」にならないため、銀行から好かれることはまずありません。そのことを前提として考えましょう。

なお、「銀行に大切にしてもらえる投資家」になれれば、交渉も多少は優位になります。その方法については、本章の最後の項でお話ししますね。

銀行に不動産担保ローンを申し込む前に、準備しておかなければならないこと

▼必要なものを確認しつつ、十分な情報開示をする

前項で、「銀行との交渉を慣れている人に任せるのもひとつの方法」というお話をしました。専門家に任せるときに、準備・整理しておくといいものをお話ししたいと思います。

とにかく、「情報の開示」をすることが大切です。よくあるケースとして、表面的には問題がなさそうだったのに、じつは奨学金の返済が残っていて、その事実を開示していなかったために、最終的に否決されることがあります。

ですから、金融系の情報については包み隠さずに開示したほうがいいでしょう。実際に提示していただきたいのは、銀行の与信力チェックに必要なものです。

具体的には、次の通りです。

・身分証
・確定申告書や源泉徴収票といった収入の内容がわかるもの
・借入一覧
・保有物件一覧

これらを基本として、きちんと情報を開示してください。ただし、開示しなくてもいい情報もあります。センシティブな情報もありますので、気になるようなら、必要なものを相談する専門家に聞いたほうがいいでしょう。

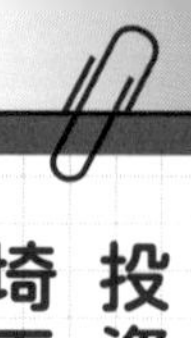

投資家が味方につけたい銀行は、横浜エリアは横浜銀行、埼玉エリアは武蔵野銀行、千葉エリアは千葉銀行

▼不動産担保ローンに積極的な「いまのトレンド」を把握することが大切

本項をお話しする前にひとつ補足しておきたいのは、ここで「味方につけたい」と書かれている銀行は、未来永劫変わらないわけではない、ということです。

基本的に投資家が味方につけたい銀行は、「有名地方銀行」、つまり「そのエリアで聞いたことがある銀行」でしょう。たとえば埼玉県であれば、「武蔵野銀行」は絶対に聞いたことがあるはずです。千葉県であれば、「千葉銀行」は聞いたことがあるでしょうし、神奈川県であれば、「横浜銀行」といったところです。

とくに不動産会社は、不動産担保ローンに積極的な銀行を常に把握しています。ですから、むしろ不動産会社にヒントが落ちている可能性が高いのではないでしょうか。

つまり、収益不動産を扱っているプロに意見を聞けば、いまのトレンド銀行がわかるということです。

横浜銀行、武蔵野銀行、千葉銀行は、あくまでもいまのトレンドということで挙げました。

ですから、「投資家が味方につけたい銀行は？」と聞かれれば、「自分の投資戦略に協力的な銀行」というのが答えになります。

そして、トレンド銀行を探すためには、収益不動産を扱っている不動産会社といったプロの意見を聞いて、情報を収集するのがいいでしょう。

銀行は、まだまだ中古投資用物件の購入への取り組みが弱い

▼根拠のわからない「法定耐用年数」にこだわっている銀行

銀行の不動産担保ローンへの取り組み姿勢は、相変わらず新築物件がメインであり、中古物件に対する取り組みは弱いといわざるを得ません。

税法の「法定耐用年数」をもとに建物の評価算定を行い、収益の根拠を計算しているために、法定耐用年数を経過して価値がゼロになった建物には収益の根拠はないのです。誰がどういう根拠でそのようなことを決めたのか、まったくわからない話です。

一方で、19年という法定耐用年数を超えた木造住宅には収益の根拠がなくなるのか、と銀行の人たちに個別に聞いていくと、「そういうわけではないと思います」と答えます。そして、「わたしの母親の家も築30年ですが、いま人に貸しています」と答える人が多いのです。

銀行という「組織」が非常に保守的で、旧態依然の評価システムから脱却できていないのでしょう。経済が成長しているときには、法人融資や住宅ローンにお金を貸すことができていたために、不動産担保ローンを積極的にしなくてもよかった状況、つまり銀行業務が売り手市場だった頃の体制がいまも残っている組織だということです。

一方で、時勢に敏感な銀行も存在します。

たとえば地方銀行で東京支店をつくり、不動産担保ローンに積極的に取り組んでいるような銀行です。

日本には信金も含めてたくさんの銀行がありますす。人口は減っていき、経済力も伸び悩むなかでは、潰れるか、新たな融資に取り組むかの二択しかないはずです。自分たちが生き残るか潰れるかという選択肢しかなくなっているのに、多くの銀行は保守的で、潰れる選択をしているかのように思えます。基本的には旧態依然の組織なので仕方のないことなのかもしれません。

ただ最近は、一部の地方銀行やノンバンクがその価値観を変えつつある状態でもあると思っています。

▼不動産事業者も旧来のルールで融資をしている銀行をもどかしく思っている

厳しい表現にはなりますが、銀行という組織に対しては残念な気持ちを強く持っています。相変わらずこれまでの自分たちのルールのなかでしか融資をしていないのですが、現在は間接金融でどうにかなっていた経済状況ではなくなっています。

いまは資金調達の方法の選択肢が広がっているにもかかわらず、変えていこうという姿勢がほとんど感じられません。

メガバンクでさえ新卒採用が減っていて、優秀な人は日系の金融機関ではなくゴールドマン・サックスやメリルリンチ等の外資金機関を選びます。外資系金融機関との年収格差もかなり広がっている状況です。日本の銀行は、ネガティブなスパイラルに陥っているように思えるのです。

それは、優秀な人をたくさん採用できていな

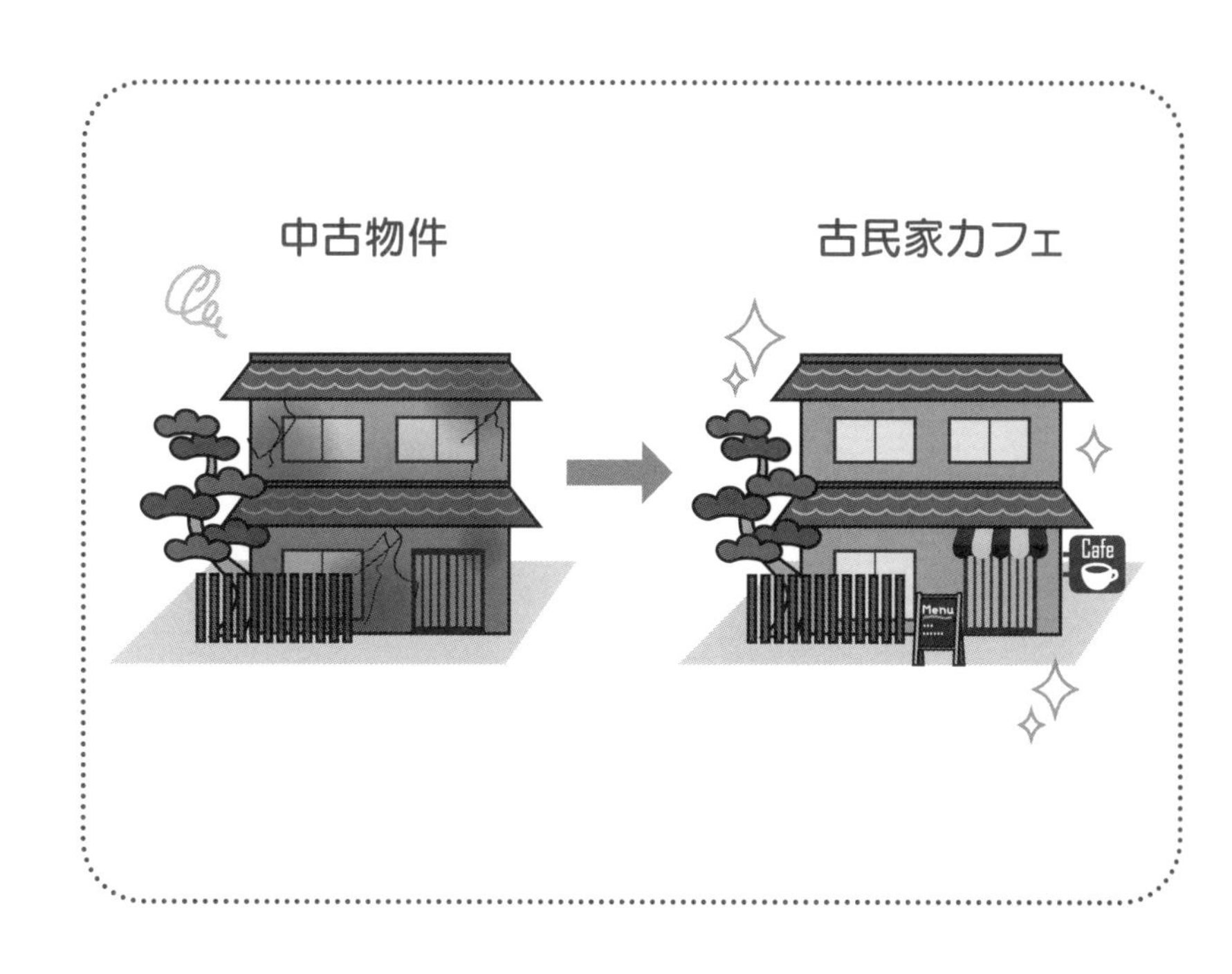

いためにいい発想が生まれず、昔活躍した人たちの言う通りにやっているからなのかもしれません。ルールの刷新をせずに保守的になり、そして儲からずに弱体化していく。これが、ネガティブスパイラルです。

そして、わたしたち不動産事業者は、残念ながら銀行の配下にいます。不動産事業者は、「リスクをとってでも新しいことをしていきたい」という人たちが多いので、この銀行とのギャップにもどかしい思いをしているのではないかと感じているのが正直なところです。

▼本当は、目の前にある「チャンス」に一緒に取り組みたい

かなり言いたい放題のようになってしまいましたが、決して銀行のことを悪く言いたいわけではありません。

本書を通じて銀行の方々にお伝えしたいのは、「いまがチャンスですよ」ということです。

チャンスは、いくらでも転がっています。いままでの世の中の流れは、不動産担保ローンのなかでは新築の住宅ローンが一番融資をしやすく、手数を増やすことができました。

政府も、築25年を超えた物件には住宅ローン減税を適用しないように、新築や築浅の住宅にばかり有利な条件をつけていたために、中古物件の流動化が進んでいません。もちろん銀行の融資条件も同様です。

でも、資源がこれだけ高騰している状況です。また、元来日本はリサイクルの文化であり、古着も含めて古いものを手入れしながら長く使おうという考えだったのに、非常に矛盾した話のように思えます。日本の家屋も、長く使うためにとても工夫されてきたのに、欧米のスクラップ&ビルドに乗せられてしまった状態です。すでに欧米では文化が変わって、長く使う傾向になっているのにもかかわらず、です。その結果、毎年の新築住宅着工件数が100万件にもなっているわけです。

ですから、もっと中古住宅を活用するように、価値観を変えていくべきではないでしょうか。これは、わたしが常々思っていることですし、いろいろなところで発言していることでもあります。

大切なことなので繰り返しますが、チャンスは転がっていますので、一緒に取り組むことができれば、不動産事業者はもちろん、銀行にとってもプラスになるのではないでしょうか。

▼銀行は不動産事業者とブルーオーシャンに乗り出してほしい

不動産事業者と銀行が一緒になって、とくに築古の中古住宅を活用できるようになれば、日本経済の活性化にもつながるでしょう。

ただ、銀行の人たちよりもわたしたち不動産事業者のほうが、不動産の価値を見抜く力はあると思っています。ですから、銀行側は不動産事業者が行っている取り組みをしっかりと理解し、信頼できるパートナーを見つけて融資を拡大していくことが必要ではないでしょうか。

弊社のマーケットは、参入している銀行が少ないので、いまのところはおそらくブルーオーシャンです。目線を変えればいくらでもチャンスはありますし、見直してほしい点はあります。

たとえば、築古のマンションで、ある部屋は自宅として売りに出ている物件A、もうひとつの部屋は賃貸物件として売りに出ている物件Bがあるとします。どちらも同じ面積で、隣同士です。

物件Aは、買主がつけば返済期間35年の住宅ローンが適用されて、金利も0・6％程度で借りられます。しかもフルローンです。ところが物件Bは、同じ面積、隣同士にもかかわらず、賃貸物件なので金利が2・9％、期間も30年でしか借りられず、自己資金を30％入れなければなりません。

物件Aと物件Bの売値を比べれば、物件B（賃貸物件）のほうが10〜20％ほど安くなっているのです。これは、銀行の融資制度の歪みといえます。物件を買う目的でこれだけ売値が変わってしまうのは、物件の評価の根拠がないことをはっきりと物語っている証左でしょう。

銀行に大切にしてもらえる投資家になるには、とにかく自己資産（純資産）を増やすこと

▼自己資産を増やしつつ、「取引実績」をつくることが大切

不動産投資を行っていくには、やはり銀行に大切にしてもらうことが必要です。そして、銀行から認めてもらうには自己資産を増やすことです。

ですから、繰り返しになりますが、自己資産の増強は非常に大切なポイントといえますが、銀行に大事にしてもらえる投資家になるためのポイントを、もうひとつお話しします。

それは、「既存取引先」になること。つまり、関係性を深くするために、彼らに一度「花を持たせる」ということです。

一見客として、こちらの都合だけ押し出して「お金を貸してほしい」と言うのではなく、「投資で利益が出れば、御行にもいいことがありますよ」ということを知らせていくのです。

たとえば、毎年200万円ずつ預金を増やし預け続ければ、5年で1000万円になります。預金残高をそれなりに増やすのもいいですし、投資信託を買うことも有効です。

担当者や支店長のご機嫌を伺っておけば、銀行としても「取引実績がありますからね」と言いやすくなります。

銀行から「お客様」と認められたなら、たとえば数行に口座があるとき、「不動産を買うために協力してくれない銀行は、取引をやめる」と言えば、融資に積極的になる銀行もあります。

「〇〇銀行に2000万円あるらしいから、ど

うにかして当行に持ってきてもらおう」と考えたときに、シンプルに「融資をすればいいじゃないか」ということになるわけです。

▼融資に協力的な銀行を増やせば、常に「トレンド」の銀行と取引できる

現実として、銀行には以前融資をして取得させた物件が相続発生により宙ぶらりんになっているケースがたくさんありますから、このような話は「渡りに船」である可能性も高いのです。

「この物件は評価が出ていますが、いかがでしょうか？」と振ってくることもあります。

協力的ではない銀行の口座を閉じて、協力的な銀行の取引を増やしていけば、常に「トレンド」の銀行と取引をしていけるでしょう。

融資に後ろ向きである銀行は、「いまは融資をしたくない」と音をあげている状態ですから、

そのような銀行とわざわざ長くお付き合いする必要はありません。

とくに、まだ投資規模として小規模であれば、メガバンクとお付き合いする必要はないとわたしは考えています。

一方で、大規模な投資家になった場合は、メガバンクが頼みの綱になってきます。メガバンクを利用すれば、エリアと規模が増えていくので、段階を踏んで上っていくという想定をするのがいいでしょう。

このように、銀行に大切にしてもらうためには、とにかく自己資産を増やすこと、取引実績をつくって、利害関係を構築していくことが大切であると知っておきましょう。

4章

不動産投資に おすすめの地域

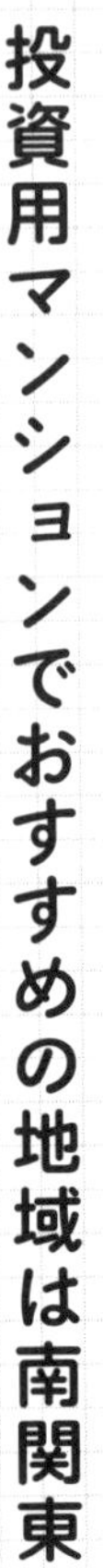

投資用マンションでおすすめの地域は南関東

▼東京、神奈川、埼玉、千葉は、需給バランスが安定し人口密度が高い

本章では、おすすめの不動産投資物件を、「地域」の面からお話ししていきます。

「おすすめの地域はどこか？」と聞かれれば、迷わず「南関東」と答えます。具体的には、東京都、神奈川県、埼玉県、千葉県の一都三県です。

この地域は、ほかの地域と比べて圧倒的に人口が安定していて、なおかつ開発できる余剰宅地が非常に少ないことがポイントです。つまり、需要（人口）と供給（住宅の数）が安定しているため、不動産価格のもっとも大きな変動要因である「需給バランス」が非常にとれています。

今後も人口が減ることや物件数が急激に純増するようなことは考えにくいため、価格が安定しやすく、投資に向いているといえます。

南関東の特徴は、何といっても「人口密度が高いこと」です。「少子化で、これから日本人の数は減っていく」といわれていますが、厚生労働省の国立社会保障・人口問題研究所の調査によると、日本列島をブロック別に分けた際の総人口に占める地域の人口の割合は、多くの地域が減少していくなかで、唯一南関東エリアが増加の傾向を示していました。

▼投資に向くエリアが点在するのも、南関東の特徴

一方で、投資用不動産を買うのであれば、地方の物件はおすすめできません。

もちろん大阪市や名古屋市といった大都市も

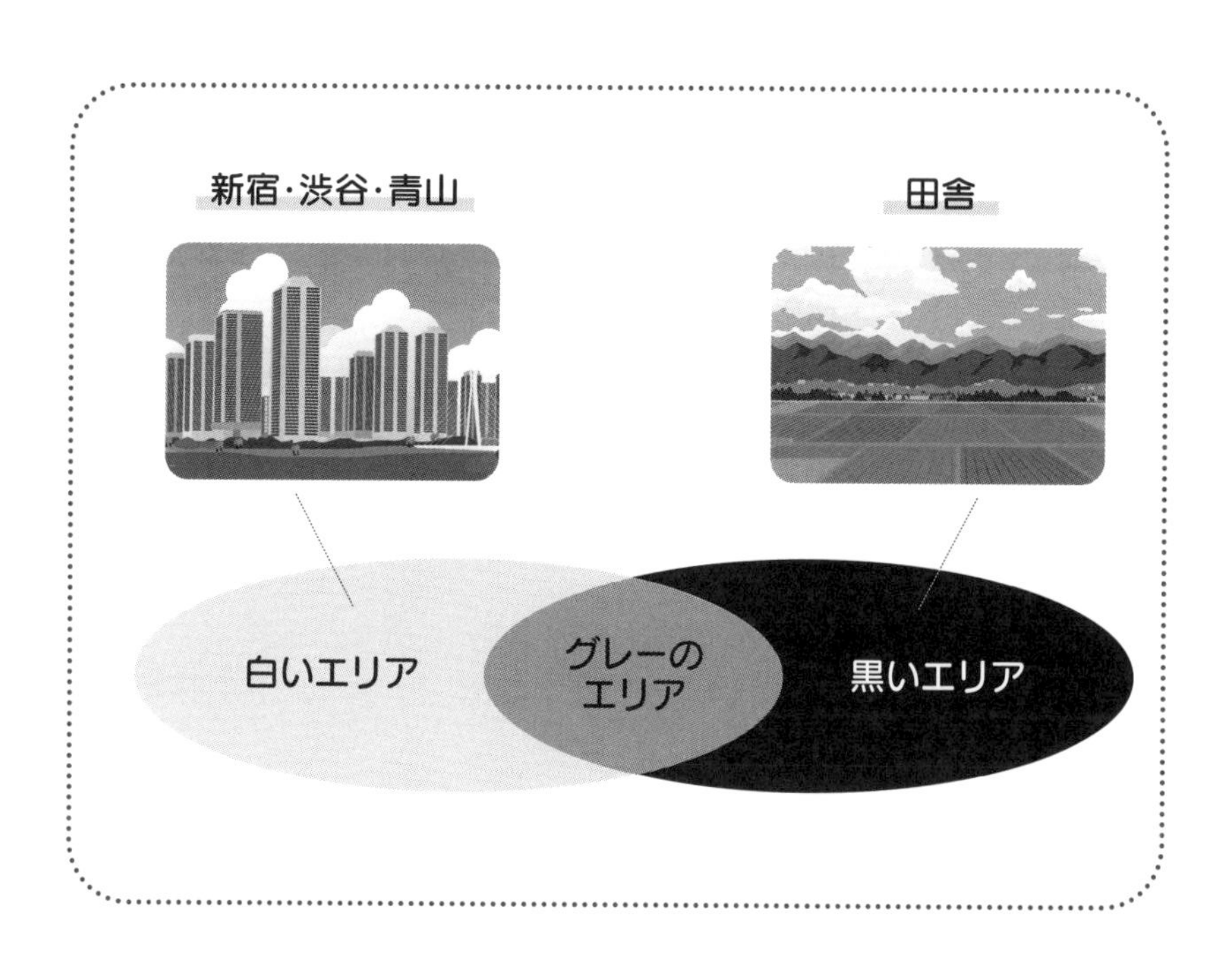

あり、その中心部はいいでしょう。でも、中心部を外れれば途端に厳しくなります。つまり、投資に向いている「白いエリア」と向かない「黒いエリア」がはっきりとしているのです。

一方で南関東は、たとえば港区や新宿区といった白いエリアと、都心から遠く離れた黒いエリアとの間に、「グレー」のエリア、すなわちそれなりに土地の資産価値があるエリアが広く存在します。

もちろん、土地の価値が低かったとしても、建物や設備に依存したコインランドリーやソーラー発電といった「キャッシュフロー回収型」の投資が好きな人は、地方の物件を買うのもいいでしょう。

でも、前にお話しした通り、わたしが提唱しているのは「将来に備えて中長期で資産をつくる」という考え方です。そのような考え方に立てば、白いエリア、グレーのエリアが広く点在する南関東が、非常に安定しているのでおすすめといえるのです。

たとえば北関東を例にすると、ゴルフをする人や行楽等で郊外に出かける人はわかると思いますが、都心を離れれば離れるほど、前回来たときは営業していた国道沿いのコンビニエンスストアが廃業し、その先に新しいコンビニエンスストアができている風景を目の当たりにします。これは、土地が余っていることを意味しています。この時点で、「供給が2倍になっている」状態です。利用者が2倍になっているかといえば、なっていないでしょう。

不動産賃貸で考えれば、需要が1・供給が1の状態から、需要1・供給2の状態に変わっているということです。家賃を考えれば、半値に下がる計算です。需給のバランスが安定せず、賃料が不安定になるのはそのためです。

目黒区あたりのコンビニエンスストアが廃業したあとは、その建物に何か別の店舗が入りますよね。隣の土地、そのまた隣の土地が空いていて、そこに別のコンビニエンスストアが新たにオープンするようなことはありません。

つまり、需給のバランスがとれているために、家賃も安定するものと考えられるわけです。

不動産の価格は、かならずといっていいほど「需要と供給」で決まります。もっとも需給バランスがとれている地域としてあげられるのが、南関東の一都三県なので、おすすめの地域といえるのです。

▼南関東には、ビギナーとその上のレンジで棲み分けがある

ところで、同じ南関東とはいっても、そのな

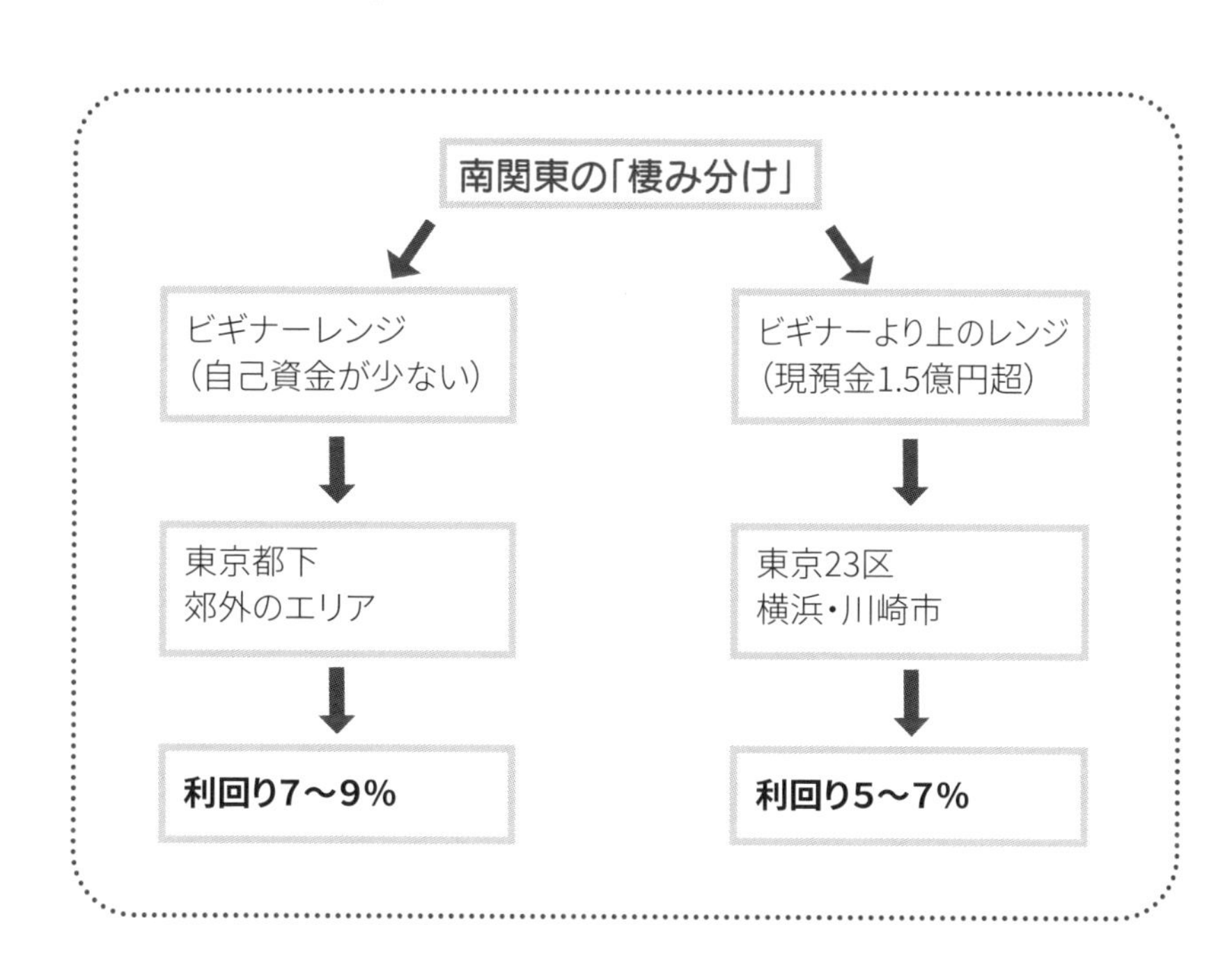

かで投資家レンジ、すなわち物件規模や自己資金の額によって、買うエリアには棲み分けがあります。

たとえばビギナーレンジで、まだあまり自己資金を持っていないようであれば、「東京都下」や少し郊外のエリアを狙うべきです。

そして、自己資金が現預金ベースで1億5000万円を超えている場合は、東京23区を中心に、神奈川県横浜市・川崎市、埼玉県さいたま市といったメジャーなエリアが狙いどころになってくるでしょう。

なお、利回りの目安ですが、郊外型の物件の場合は7〜9％が現在の相場ではないでしょうか。そして、東京23区や横浜、川崎といったエリアは、5〜7％弱が目安ではないかと思われます。

ぜひ参考にしてください。

北関東や地方都市は、土地余りを起こしているところもある

▼再利用するか新たな土地を利用しているのかが、土地余りの目安

買いたい物件がある場合、現地へ物件や街の様子を見に行くことはあるでしょう。そのときに確認すべきことは、都市化を推進するべき市街化区域であるはずなのに、宅地が余っていないかどうか、ということです。

そのため、前項でお話ししたことと重複しますが、ロードサイドのコンビニエンスストアが潰れた跡地があったとして、その店舗を使うのではなく、すぐ隣の土地にコンビニエンスストアが新しく建っているような場合は問題となります。

また、古いパチンコ屋さんがあるのに、その奥に新しいパチンコ屋さんができるようなエリアも、収益物件を保有するには問題があるといえるでしょう。

実際に日光街道を上野のあたりから北上していくと、最初はびっしりと建物が建っています。ところが、栃木県に入るかなり手前から、コンビニエンスストアの跡地と思われる場所の先100mくらいのところに別のコンビニエンスストアがオープンしている場合があります。

このように、土地を再利用するのか新たな土地を利用しているのかを、そのエリアで土地余りを起こしているかどうかの目安と考えましょう。

なお、農地がたくさんあることは不動産投資においで、それほど大きなマイナスになりません。農地が多い地域は自然を守るという考えが根強く、宅地として農地が供給されることが少ないからです。

▼土地余りの最大のリスクは、将来の資産価値を感じられないこと

土地余りを起こしているエリアの最大のリスクは、土地の価値に将来性が感じられないことです。なぜ将来性を感じられないかといえば、供給側がラクに建物を供給できるために、供給過多になりやすいからです。

そして、そこに豊富な需要があるか、つまり爆発的な人口流入があるかといえば、ないと考えるのが妥当でしょう。

収益不動産の平均保有年数は25年ともいわれていて、長い時間の経過とともに建物は価値がゼロになっていきます。

そして、需給バランスがよくないエリアとして将来的に土地としての価値がないと判断された場合には、物件自体の価値がほぼゼロになっていくと考えられます。

そのような物件は、投資可能性が低いと考えるのが妥当なのではないでしょうか。

北関東や地方都市には、このように土地余りを起こしていることが多いので、投資物件の購入は慎重に考えるべきでしょう。

南関東における不動産投資のラインは、圏央道や国道16号線の内側（ビジネス拠点から1時間半以内）

▼圏央道や国道16号線沿いの内側はビギナーにおすすめ

これは、ここに書いた通り、圏央道（首都圏中央連絡自動車道）や国道16号線は、南関東における不動産投資に適した地域のもっとも外側のラインです。

それよりも外側のエリア、たとえば神奈川県厚木市の山があるエリアは、国道16号線の外側です。そして、埼玉県川越市を北上したあたりの熊谷市や本庄市、千葉県では圏央道の外側は、需要と供給のバランスがとれていない、土地が余っているエリアです。

このラインをもっとも外側と考えて、内側に入っていくことを考えましょう。

「ビジネス拠点から1時間半以内」というのは、

まず通勤時間が1時間を超えると人はストレスを感じるようになり、1時間半を超えるとさらに強いストレスを感じるからです。通勤で1時間半以上かかるとなれば、住みにくいエリアといえるでしょう。

今後高齢化していくなかで労働人口が減るにしても、賃貸需要としては労働人口のあるエリアのほうが圧倒的に有利です。ですから、ビジネスの拠点から1時間半以上通勤にかかるようなエリアというのは、投資対象から外したほうがいいでしょう。

なお、ビジネス拠点というのは、決して都心とは限りません。

たとえば立川や相模原、八王子といった相模川や圏央道沿いの倉庫街であれば、ラインの内

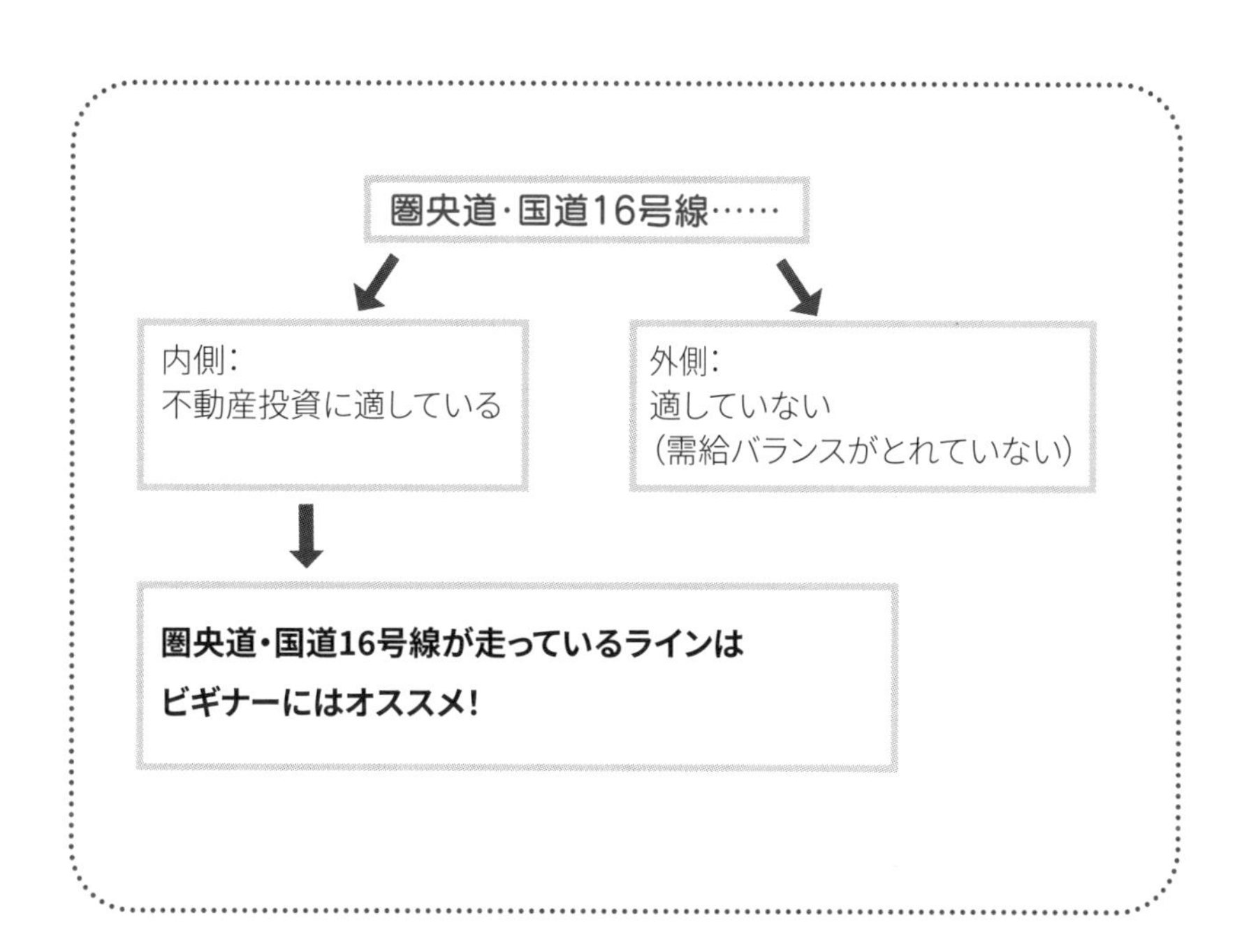

側から通勤するのであっても構いません。ただ、ラインの外から通勤するとなれば、土地が余っているので、資産価値のある土地とはなりにくいでしょう。

一方で、圏央道や国道16号線が走っている近辺であれば、土地の資産は残りやすいので、とくに不動産投資のビギナーにはちょうどいいエリアかもしれません。

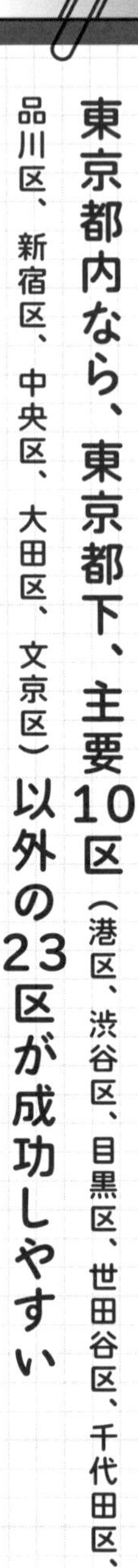

東京都内なら、東京都下、主要10区（港区、渋谷区、目黒区、世田谷区、千代田区、品川区、新宿区、中央区、大田区、文京区）以外の23区が成功しやすい

▼東京都内の物件を持てるようになれば、「規模」をとることができる

不動産投資をするにあたっては、その投資家のレンジごとに「おすすめの土地」があります。たとえばビギナーであれば、圏央道や国道16号線に沿ったエリアからスタートしましょう。

そして資産が増えてきたら、規模に応じて東京都下や主要10区以外のエリア、つまり利回りが6％前後くらいのところで自己資金3000万円くらいを使ってください。そうすれば、賃貸経営が安定します。

不動産賃貸が安定するには、お話しした通り、需要と供給のバランスが何よりも大切です。需給バランスのいいエリアであれば、賃料と売価が安定しやすい傾向にあるのです。基本的には、地方よりも郊外、郊外よりも都市圏と、建物から得られる㎡単価がより高いところを狙うのが原則です。

東京都内に入ってくれば、「規模」が大きくなります。つまり、同じ坪数であっても坪単価が違うので、同じ坪数であっても売価が倍になることもあります。

投資家として成長するにつれて、「規模をとっていく」ことが正しいので、効率よく規模をとるために、都心へ回帰していくのがいいでしょう。

主要10区「以外」ということは、北区や板橋区、墨田区といったところが対象としてあげられます。このようなエリアなら、「規模」がとりやすいといえます。

たとえば、北区は、坪単価が２００万円に届かないくらいです（２０２２年時点）。ちなみに圏央道の近くの神奈川県相模原市は、坪単価が１００万円くらいです。ですから、50坪の土地を買うとすれば、前者は1億円近く、後者は約５０００万円になります。

スタートは数千万円の物件だったとしても、その次に1億円から1億５０００万円前後の物件を持つことができれば、利回りは下がったとしても「金額」を得ることができます。

期待利回りと借入金利の差であるスプレッド比率は下がったとしても、規模がとれているので、手元に入る「金額」は上がることが想定できるのです。

次第にお金を持つようになり、そのような人が「規模」をとりにいけば、中長期的に見てラクになるでしょう。

つまり、土地の評価が大きいほうが、次の計画を立てやすくなるということです。

ビギナーの人たちは、そのような状態を脱して、ここに書いてある「東京都下」や「主要10区以外の23区」の物件を買っていくことに、成長目標を定めていきましょう。

それなりに資産を持っている人や不動産投資によって少し財を成している人には、ここはおすすめのエリアといえます。

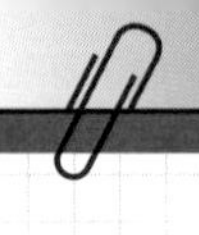

資金力や与信力がある投資家は、主要10区もおすすめ

▼セミプロレベルの人たちが主要10区を持てば、事業がより安定する

2億円から3億円の物件を扱える人は、もはや「土地比率の高い土地を取得して、資産を構築する」というフェーズにはいません。むしろ、資金をいかに安全に、安定的に運用するかを考えるべきフェーズでしょう。

このようなフェーズの投資家なら、主要10区や神奈川県川崎市のメジャーなエリア、つまり駅の近くや、横浜市のメジャーな駅の近くといったエリアがおすすめです。ここまで来れば、いわゆる「セミプロ」といえるレベルですし、プロの感覚に近いものを持っているでしょう。

このような人たちは、自己資金20％以上を投入し、1％程度の金利で資金調達して、6％程度の利回りでまわすことによって、安定して事業運営をすることができます。

ですから、10億円規模の不動産を買うときに、手元資金から2億円を充当できる人たちは、主要10区の物件を持つようにしたほうがいいでしょう。その理由は前にお話しした通り、「規模」がとれるからです。スケールメリットによって、より多くのキャッシュフローが入ってきます。

主要10区では物件価格も大きくなりますし、同じスプレッド比率であっても、5000万円の5％と10億円の5％は違います。

そして、横浜銀行、りそな銀行、西武信用金庫、きらぼし銀行といった銀行の数が多いところで勝負したほうが、融資条件が勝手によくなって借入もしやすくなっていきます。

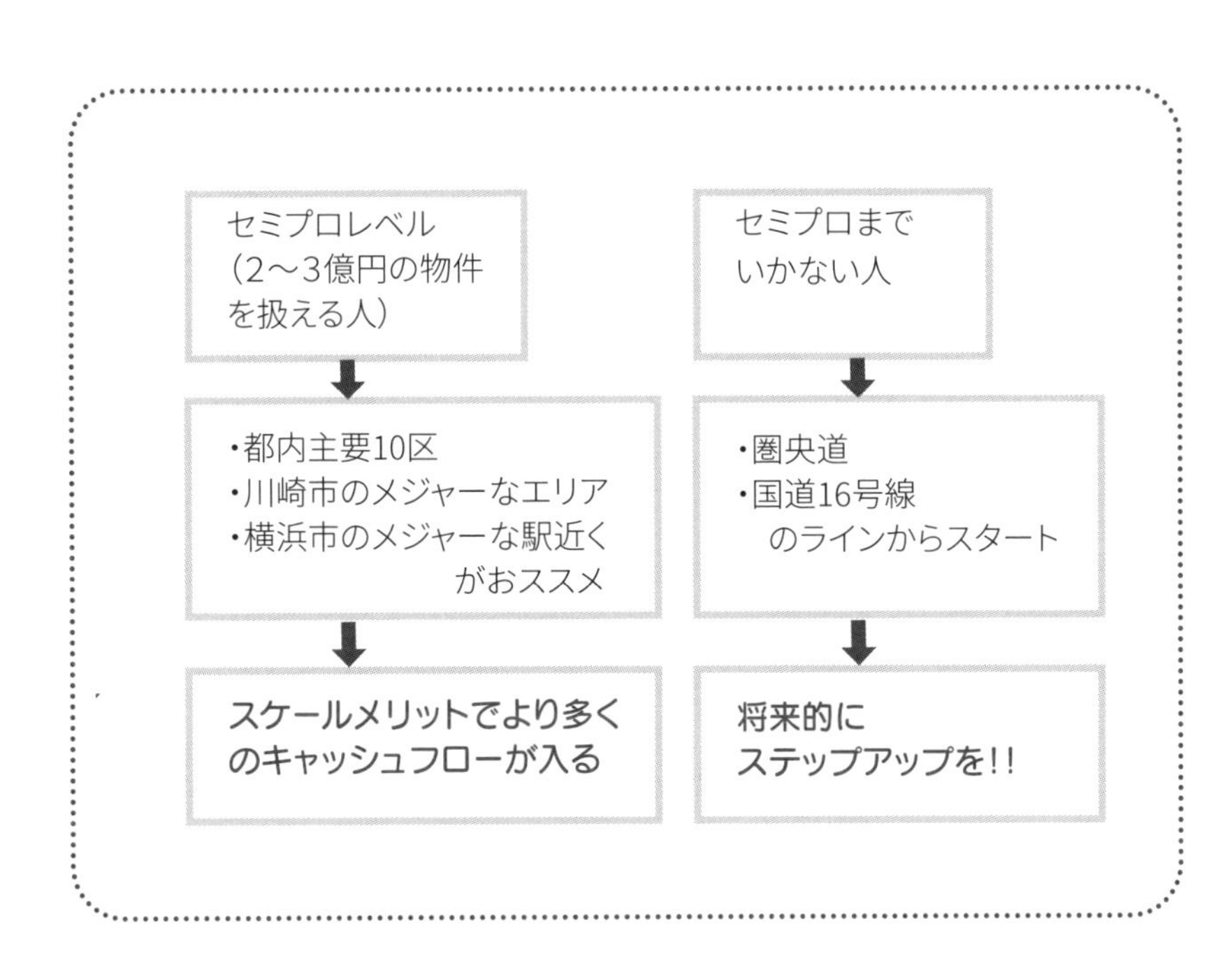

▼まずは圏央道や国道16号線沿いからはじまり、主要10区を目指そう

イメージとしては「自己資金20％を入れて、6％程度の利回りの物件を、金利1％で調達」という状態を目指すのですが、最初から1億円の物件を買うために2000万円（欲をいえば、5％の諸費用も考慮して25％を用意することが理想ではあります）を入れるのは難しい人も多いでしょう。

もちろん、2000万円というのは「現預金」でなくてもよく、たとえば共同担保（購入物件以外の不動産を担保設定すること）でもいいのです。手持ちの純資産も利用しながら6％程度の利回りを得ていくというのが正しいことです。

とはいえ、最初からは難しいので、まずはローンの借入額を少なくするために利回りの高いところで勝負をする必要があるのですが、いくら利回りが高くても、将来土地として価値がなさそうなエリアではいけません。

ですから、圏央道や国道16号線のラインからスタートして、将来的には「自己資金20％を入れて、６％程度の利回りの物件を、金利１％で調達」といった理想を目指していきましょう。

▼資金力や銀行交渉力を向上し、投資家としてのレンジを上げていこう

「不動産投資のおすすめの地域」というのは、その投資家のレンジによってまったく変わるので、ご自身のレンジはどこなのかを把握して、適切な地域を選んでいきましょう。

これはわたしの考え方なのですが、投資家のレンジを３段階のフェーズに分けています。それは、「ビギナーレンジ」「ミドルレンジ」と「セミプロ」です。その目安は、どれくらい自己資金を投入できるか、どれくらいの現預金や資産を持っているか、不動産投資にどれだけ慣れているか、という複合的なものです。

不動産に慣れていて、「わかりました、自己資金を20％入れますね」というふうに銀行とスムーズなコミュニケーションをとれる人たちは、この主要10区というメジャーエリアでやっていくべきです。

これは究極の矛盾ですが、セミプロレベルの与信力になれば、自己資金20％を求める銀行は減ります。20％を入れられるけれども、入れなくてもよくなる、というくらいの状況になれば、23区のなかでも物件を選び放題です。

一方で、ビギナーレンジやミドルレンジの人は、銀行との交渉の権限をまだ持てていません。

ですから、資金力や銀行評価力を高めていくためにも、もっと効率がいいところからはじめていきましょう。

規模を増やしていければ銀行交渉力も高まりますし、時間の経過とともにローン返済が進めば、銀行交渉力も自動的に上がっていくでしょう。

時間をかけて資産や銀行交渉力を向上し、投資家としてのレンジを上げていくことができるのが、不動産賃貸業のいいところ、おもしろいところといえます。

▼投資家の「レンジ」のイメージ

本項の主旨からは外れますが、ビギナーレンジ、ミドルレンジ、セミプロのイメージをお話ししておきます。

ポイントは、自己資金です。自己資金が2000万円くらいであれば、いくら年収が高くてもビギナーレンジです。ミドルレンジは、不動産投資をやってみて、試行錯誤をしながら不動産資産1億円、借入が2000万円くらい、自己資金が5000万円で、年収が1500万円を超えているイメージです。

セミプロになってくると、本人の年収がどうであっても、不動産資産が5億円、借入が4億5000万円、現預金が1億5000万円、という状況以上の人です。

もちろんあくまでもイメージなので、厳密なものではありません。ほかにも要素はあるでしょうし、銀行によっても見方は違うので、その点はご了承ください。

初心者は、利回りが高い場所で考えてみる
（松戸、相模原、西東京、埼玉でいえば川越。それより外側は要検討）

▼利回りが高いだけではなく、需給バランスがとれていることが大切

本項では、前の項で「ビギナーレンジ」に分類した人向けの地域についてお話しします。不動産投資の初心者の人は、自己資金や銀行の与信力をこれからつくっていく状況なので、まずは物件価格がそれほど高くなく、なおかつ利回りの高いエリアからスタートするのがおすすめです。

もっとも、いくら物件価格が安く、利回りが高く見えたとしても、不動産投資の重要なポイントである「需給バランス」がとれていなければ、入居が不安定になったり家賃が流動的だったりして、十分なインカムを得られない可能性が高くなります。

また、将来の土地価格が現状維持、もしくは上昇することが見込めなければ、キャピタルロスのリスクもあります。

ここで列挙している松戸市、相模原市、西東京市、川越市は需給が安定していますし、それなりに高い利回りが期待できるので、おすすめといえます。

これらのエリアよりも外側の地域は、まず物件の供給量が不安定な可能性があります。つまり、土地が余っていて、今後住宅としての供給がなされれば、家賃相場の下落が考えられる地域ということになります。

このような地域は、駅からの距離が近い物件を選ぶといった「検討」が必要となるでしょう。

▼エネルギーのある街を選び、そこに住む人の生活をイメージしよう

基本的には、ここで書いてある松戸市や相模原市、西東京市、川越市をひとつのラインとして地域を選んでいただければ無難ですが、それ以外の地域、またはこれらの地域の外側を考える場合の参考となるように、ポイントをいくつかお話しします。

たとえば松戸市は、街づくりが上手な行政区です。市街化区域の道路は直線に整備されていますし、かならずといっていいほど街灯が設置されています。大きなテナントも誘致されているために活気があり、人も集まります。そのため、最近では資金力のある人の流入も見られるようです。

その先の柏市は、松戸市よりも外側ですが、JR常磐線が走っていて、水戸街道（国道6号線）が並行して走っています。このような地域は、街としてある程度のパワーがあると考えていいでしょう。

一方、JRが走っておらず、大きな国道と連動していなければ、街のエネルギーが低く、交通インフラも便利とはいえないため、人が集まりにくい傾向があります。

第三セクターの新線が開通し、街づくりが進んでトレンドになる地域もあります。もちろんこのようなエリアも有望ですが、開発宅地がまだ残っていれば、需給面で不安もありますので、実際にその街へ行ってみて、停まっている車やクリーニングの平均単価（ワイシャツ）を見ることも必要です。商業施設に入っているテナントも、どのような街なのかがわかる要素ではあります。

▼地域の特性を知り、ときには立地にこだわらず視野を広げることも必要

神奈川県は、とても広い県ですから、地域によってさまざまな特徴があります。

とくに横浜駅前や川崎駅前は、東京23区と同じようなものです。ですから、少なくともビギナーレンジの人は、そのエリアの収益物件をわざわざ買う必要はありません。武蔵小杉も同様です。

相模原市や、少し遠いのですが、本厚木寄りのエリアの物件でもいいでしょう。小田急線の本厚木駅周辺は、バス便がとても充実しています。同じ神奈川県の平塚も同様です。東京都内でバス便が充実しているのは、立川駅があげられます。

「投資物件を買うなら駅近がいい」というロジックは、単に投資家だけが言っている話だということです。実際にそこで生活をしている人、その地域の特徴を知っている人からすれば、駅から徒歩30分の建売り物件であっても売れるのです。

前に平塚の不動産屋さんから、「平塚は駅からの距離は関係ない」と聞いたことがあります。駅から5～10分以内の物件に人気が集中するのは投資商品だけであり、地元の人はほとんど気にしていません。駅近にこだわってわざわざ高い物件を買うのではなく、もう少し視野を広げてみるのも必要ということです。

実際に弊社でも、湘南から橋本（相模原市）までのエリアで駅から遠い物件を管理していま

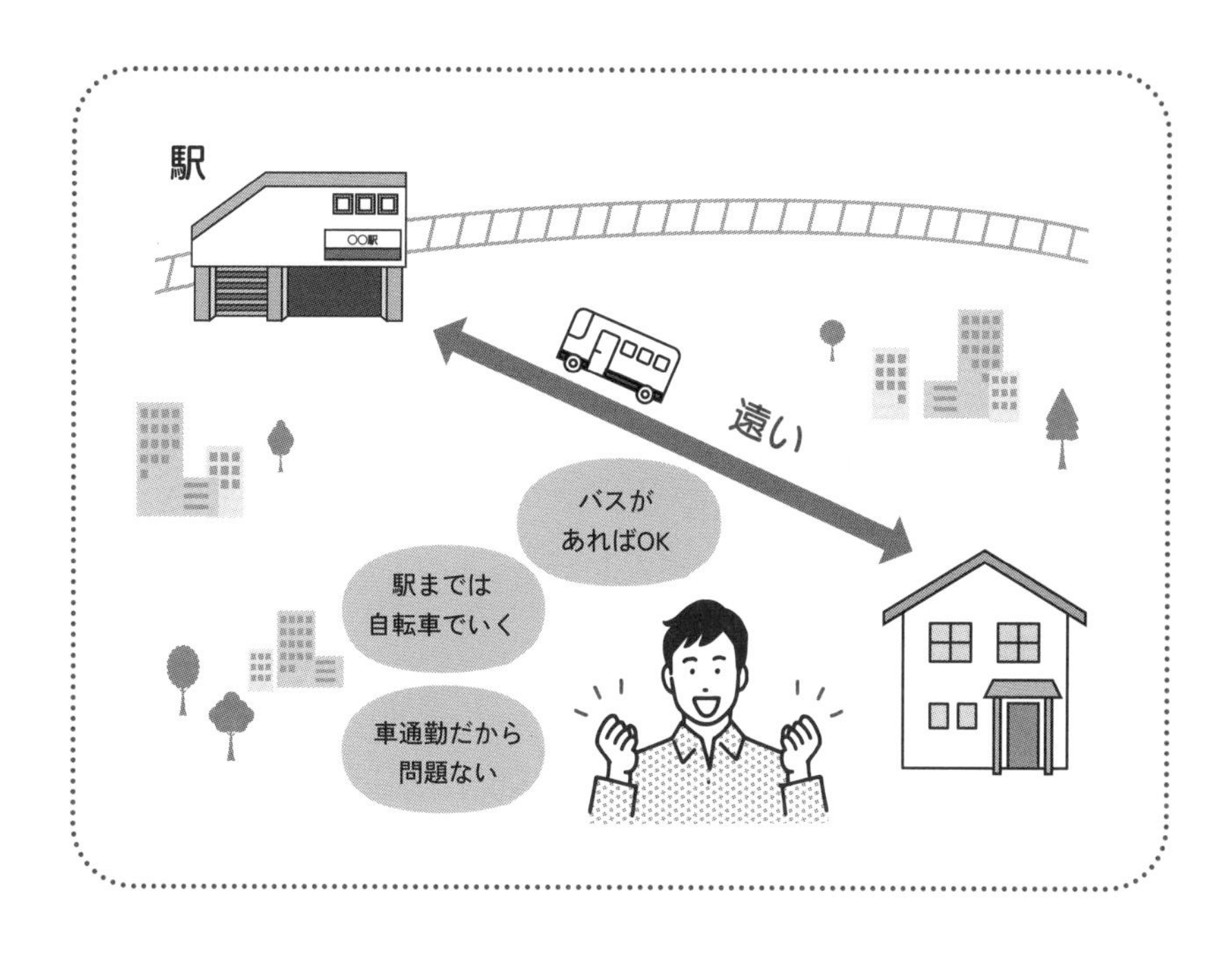

すが、駅から近い、遠いといったことはあまり関係ないと感じることが多いのです。
投資物件を選ぶ際の視点を広げるということの、ひとつの好例として知っておきましょう。

ＪＲ相模線沿線はおもしろい

▼投資家から敬遠されがちだが、「おもしろさ」を感じるＪＲ相模線沿線

ＪＲ相模線という路線を知っていますか？

相模線は、神奈川県の茅ヶ崎駅からから相模原市の橋本駅まで、相模川に沿って北上する単線です。

この沿線の物件は投資家から敬遠されがちなのですが、相模川から東京に向かって内側にある物件であれば、ネガティブな要素がほとんどありません。たとえば上溝（かみみぞ）駅や下溝（しもみぞ）駅の周辺は、歴史のある地域ですから、旧国鉄の路線が走っているのも伊達ではありません。

じつは茅ヶ崎駅から橋本駅の間の区間は、割と人口の多いエリアなのです。厚木や海老名、橋本といった強い駅を通っていて、橋本駅で乗り換えれば八王子まで行けます。人が集まる駅を通っているので、本来は単線電車がコトコトと走るようなエリアではないように思えます。

いまは新宿駅や東京駅を軸に東西に走る交通インフラが強いのですが、「八王子につながる橋本や、海老名、厚木を通っているのに、いつまでも単線のままではおかしいのでは？」と思わせてくれる「おもしろさ」を、わたしは個人的に感じているのです。

もちろんこのあたりは都心から見れば郊外なので、人口（需要）を不安視して敬遠する人も多いのですが、相模原エリアの上溝や南橋本は、ほぼ圏央道や国道16号線沿いです。坪単価はまだ30万円くらいですが、内側に２ｋｍほど入れば坪単価が80万円くらいになっていて、少し差が開きすぎにも思えます。

都心から見て外側、相模川の低い方面は何ともわかりませんが、上側はいいのではないでしょうか。

▼ＪＲ相模線沿線はいまも悪くなく、将来的にも期待感がある

単線の相模線を複線化するような話は、いまのところあがってはいないようです。

あくまでも個人的な意見ですが、「橋本や海老名、厚木を通って八王子につながっていく路線が単線というのは、おかしくないですか、ＪＲさん？」と言いたい気持ちはあります。実際、行政の方針で圏央道のあたりに倉庫をたくさん誘致しているため、圏央道や国道16号線といった交通インフラを整備しています。そのエリアを縦に走っている路線が単線であるのは矛盾しているのではないでしょうか。

また、そのようなエリアには外国人が住みやすいので、人口も減りませんし、むしろ増える可能性が高いといえます。

ＪＲ相模線の沿線は、将来的にとてもおもしろいとエリアといえますが、いまの時点でも決して悪くはありません。

「将来はよくなるかもしれません」ということではなく、いまでもある程度の人口がいます。ＪＲ相模線という派手さの少ないイメージのために敬遠されていることも、「穴場」の要素と思えるのです。

投資家が実際に住むわけではありませんし、いまが単線でも複線でも関係ありませんが、投資の対象としておもしろいのではないでしょうか。

行政区に力のある地域は、不動産投資におすすめ（足立区、川崎市など）

▼行政が資金力とやる気を持ち、発信力を持てれば、人が集まる

収益不動産を購入する地域を考えるときに、「その行政区にどれだけ力があるか」はとても重要です。いわゆる「行政力」のある地域として有名なのは、足立区や川崎市です。

足立区は人口が増えていて、税収も増えています。川崎も、もともと大きな企業の工場があって、税収が高い行政区です。その資金力をもとにキレイな街づくりを行い、インフラを整えて、治安も改善しました。人が集まるショッピング施設を誘致して、利便性を高めています。そうすれば、人は集まるのです。

これは、足立区や川崎市だけでなく、神奈川県相模原市にも千葉県松戸市にも、埼玉県川越市やふじみ野市にもいえることです。行政力は街づくりに反映します。都市計画を定めるのは行政であり、その行政に余剰資金や「やる気」があるか、ということが大きな要素なのでしょう。

足立区は明確にやる気を出したので、人口が大爆発しました。その要因は子育てに力を入れたことにあると、多くの人が知っています。

大切なのは、なぜ多くの人が知っているのかということです。それは行政にお金とやる気があったために、発信力を持つことができたからでしょう。

足立区が「子育てに優しい」というポジティブなイメージを多くの人が持ったのは、行政に力があったからです。

一方で、都心から遠く離れた空き地の多い行政区には、多くの人が知っている情報を発信したり、街の整備を実行したりする力はないでしょう。

▼行政力がある地域は、将来的に不動産価値の向上が期待できる

このように、行政力があるかどうかは、不動産投資をするうえで非常に大切な要素といえます。

将来を考えれば、人や事業者を誘致することは行政としてやるべきことです。

千葉県の松戸市も非常に明確で、商業施設を誘致するエリア、そのまわりには住宅エリア、というふうにはっきりと決めています。

住宅エリアには道路をキレイに通し、街灯もしっかりとつけます。交差点には信号をつけま

すし、歩道も整備されています。

子育て世代からすれば、自分の子どもが事故に遭わないというイメージを持てるかは非常に大切なことです。それは、ある程度お金がなければできないことでしょう。

また、お金があるところ、人口がある程度多い行政区は、さまざまなものを誘致しやすいのです。コストコやららぽーとといった商業施設を誘致してくることができるのは、そのためです。

このように、行政力がある地域というのは、中長期で不動産の価値が向上していきます。立川もそうですね。

一方で、先細りの産業しかなかったり、大きな企業がいなかったりすれば、そのような地域の不動産価値の向上は厳しいでしょう。

▼行政のデータを見ることで、割安になっている地域がわかることもある

ご参考までに、わたしが行政区を調べるときに参照している本を紹介しておきます。

わたしが参照しているのは、『都市データパック』（東洋経済新報社）という辞書のような本です。この本には、行政区ごとの人口や歳出予算、法人税収といったことが書いてあります。物件の検討をする際は、たとえば千葉県であれば千葉市と松戸市を比較してみます。

そして、「この行政区はいい」「この行政区はちょっと……」というふうに分析しているのです。「ここはちょっと……」となるような行政区は、行政のサポートで人や商業施設の誘致はできないな、と予想できます。

たとえば横浜市などは、自治体が主導で「だれでも住みたくなる都市づくり」を目標に掲げ、

アーバンデザイン（都市空間の創出）を追求した結果、産業・娯楽・居住を兼ね備えた都市づくり（横浜型モデル）を成功させました。

このように、行政にお金ややる気があるかが重要です。お金があればやる気も出てきますし、お金がなければやる気はあっても何もできません。

それを比較するために、いつもある程度データは見ています。興味深いのは、世田谷区と川崎市の比較です。多くの人は、世田谷区と川崎市を比べれば、世田谷区の物件を買いたいと思うでしょう。

ところが、じつは川崎市のほうが、歳出総額は大きいのです。つまり、川崎市のほうが世田谷区よりも力がある、と見ることもできます。

世田谷区が人気だとすれば、逆張りの発想で、川崎市の物件はよくありませんか？　ということになるでしょう。

「印象」で価格が高くなっている地域があれば、安くなっている地域もあります。それならば、後者を買えばいいわけですよね。

もちろんデータを見るだけで物件を買えるわけではありません。でも、もしデータを見るのがお好きであれば、もしくは比較がお好きであれば、高めの本ではありますが、あくまでもご参考ということで、ご覧になるのもいいでしょう。

埼玉は、本庄や熊谷の手前がとくに◎

▼乗降客数が同じであれば、物件の額が違うだけで投資効率は同じ

前にお話しした通り、南関東における不動産投資のラインは圏央道や国道16号線の内側です。

埼玉県の本庄市や熊谷市はそのラインよりもかなり外ですが、つまりはそこまで行ってしまえば不動産投資はかなり厳しいということです。

圏央道が通っているのはもっと東京寄りの川越あたりなのですが、この川越はおすすめの地域です。川越市に隣接するふじみ野市の上福岡駅は東武東上線が通っていますが、1日の乗降客数は、約4・5万人です。

オシャレな街として有名な東急東横線・代官山駅は、実はこの上福岡駅よりも乗降客数が少ないのです。代官山駅の乗降客数は、約2・3万人です。代官山駅を使っている人は、ベース年収は異なるでしょうが、乗降客数から見れば上福岡駅の方がメリットがあるといえます。

でも、代官山駅周辺の物件の家賃は、川越の約3倍なので、代官山でワンルームマンションを借りれば、どんなに築古であっても月9万円以上です。川越駅周辺には、月3万円の物件があります。

仮に駅を使う人数がほぼ一緒の場合、オシャレな街とそれ以外の街とどちらが優れているかと聞かれれば、「どちらも変わりません」というのがわたしの答えです。

ですから、「代官山なら買うけど、川越は買わ

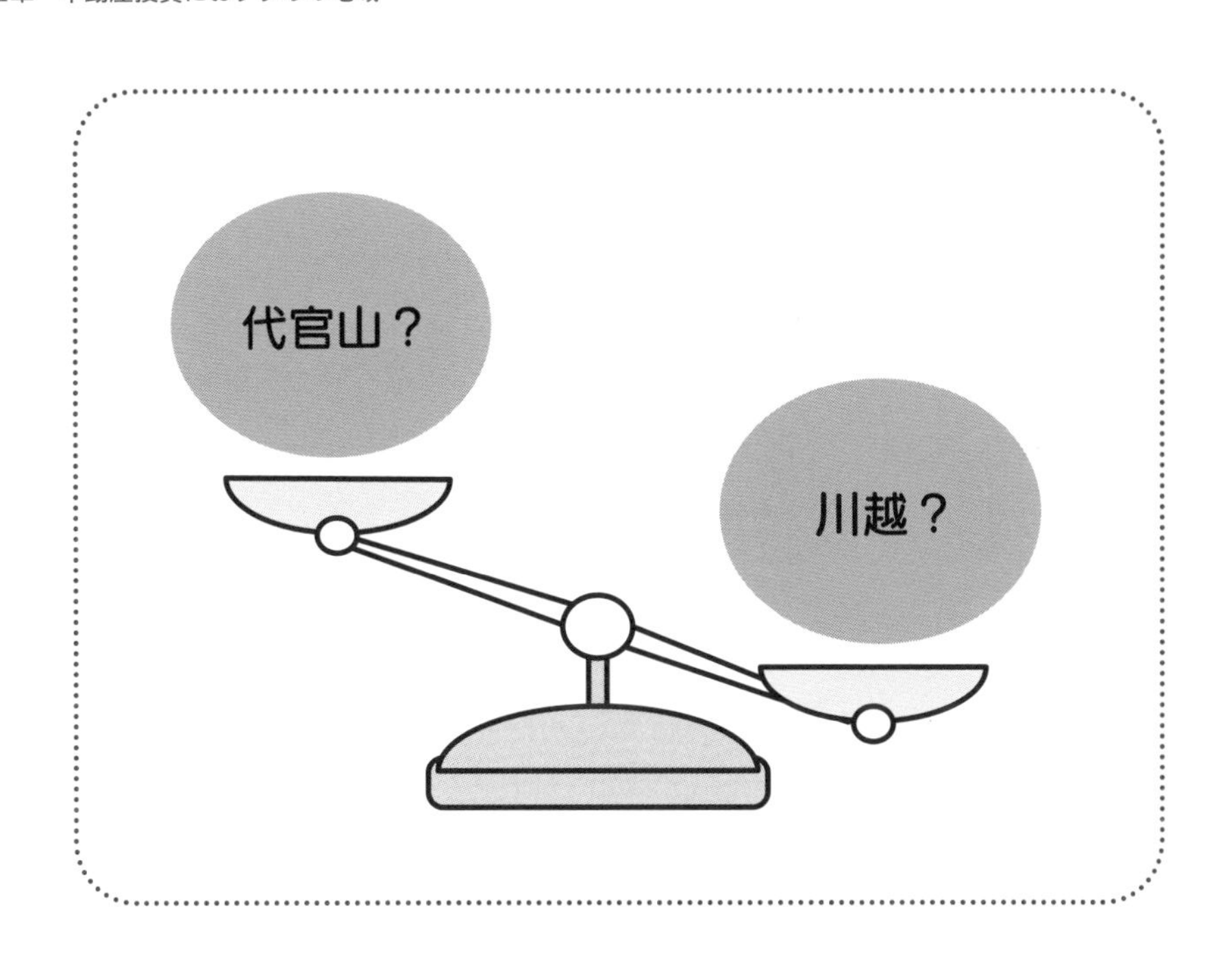

ない」と言われれば、わたしからすれば「なぜ？」となります。理由が見当たらないからです。

強いていえば、イメージでしょう。代官山はオシャレで、いろいろなところに行けて、住みやすいというイメージがあるのだと思いますが、年収が７００万円を切ると、非常に住みにくい街になります。

年収７００万円以上の人は、全体の15％程度であり、圧倒的に少数派です。それだけの年収がある人なら、代官山に住んでもいいのではないでしょうか。ただ、人口として多いのは年収４００万円台の人なので、じつは上福岡のような駅のほうが現実的なのです。

ですから、安く買えて利回りが高いほうが、効率がいいのではないでしょうか。ひとつの参考にしてください。

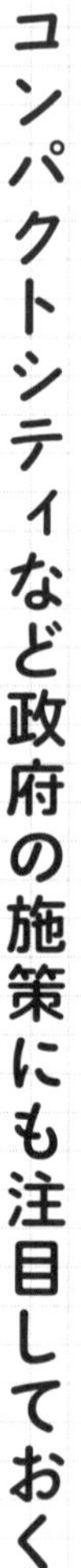

コンパクトシティなど政府の施策にも注目しておく

▼地方都市にはインフラのコンパクト化が進んでいるところもある

最近では、「安いから」ということで、地方の・山奥の戸建ての収益物件が流行っています。安く買えるために、利回りがおおよそ18％、高ければ20％を超えることもあります。

でも、山奥の物件は、いま政府が進めている政策とは合わない部分があります。行政は、定めた都市計画に基づいて街づくりをしてくれて、民間は行政の施策に乗っかる形ですから、当然政策の影響を受けます。

その政策の方向性は、今後日本人が減っていくことを見越して、とくに地方の都市に関しては行政のサービスが肥大化しないように集中させようとしているのです。いわゆる「コンパクトシティ」の動きです。

たとえば富山県富山市では「公共交通を軸とした拠点集中型のコンパクトなまちづくり」を目指し、中心部や公共の交通インフラを活性化させる取り組みを実施しています。

その結果、中心部や公共交通の沿線では人口の流入が超過し、地価の上昇が見られました。熊本県熊本市もコンパクトシティを推進し、一定の成果をあげています。

▼地方都市の郊外は賃貸需要も物件の将来価値も厳しくなる

コンパクトシティの主旨は、人口が減っていくなか、郊外にまで行政サービスが行き渡らないために困る人が出るのを避けることです。こ

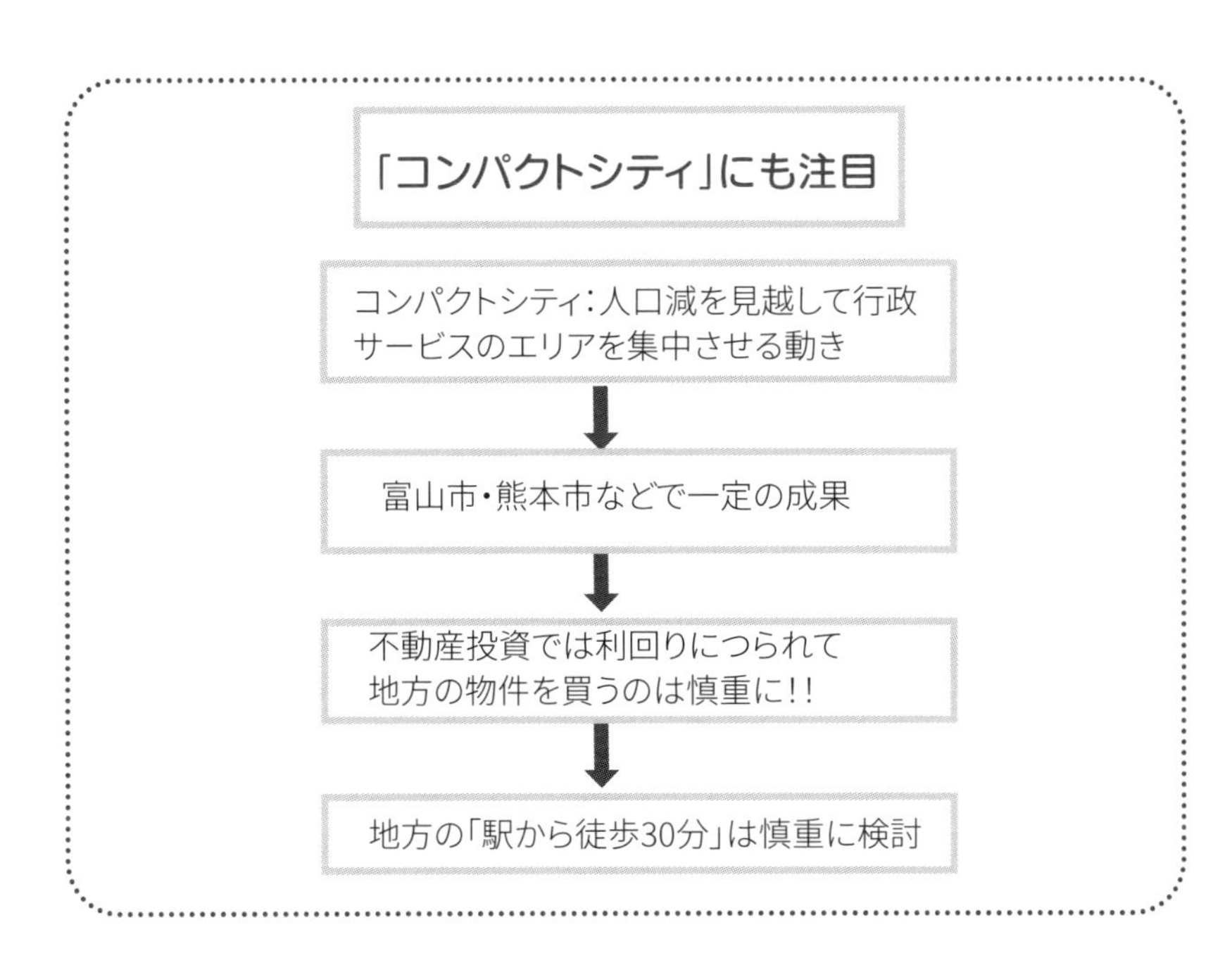

の政策が必要となっているのは、地方都市の郊外です。

地方の山奥の物件はコンパクトシティ政策の影響を大きく受けて、将来的に居住者を確保できなくなる可能性があるでしょう。

政策の流れを考えれば、利回りが高いからという理由だけで物件を買うことは慎重になったほうがいいのではないでしょうか。

また、たとえば物件価格が５００万円で利回りが20％であるとしても、年間の賃料収入は１００万円しかありません。ローンの返済や維持費が年間85万円とすれば、月のキャッシュフローは1万円強しかないわけです。

将来的に不安の残る物件へ必死に投資をして、５～10年後にできる財産が５００万円程度なのであれば、自力で５００万円を貯めたほうが確実です。10年で５００万円を貯めるには、年間50万円、月４万円で達成できます。年収が８００万円を超えている人なら、難しいことではありません。より厳しくない方法を選択したほうがいいのではないでしょうか。

さらに、将来の資産価値にも不安があります。つまり、土地の将来性を考えれば、５００万円で買った物件がたとえば20年後に５００万円で売れる可能性は非常に低いといえます。

売れないからと長期で保有しても、たいした資産にはならないものに対して時間だけをとられてしまうことになります。

同じ20年間をかけるのであれば、資産を３億円くらいにするイメージを持ったほうがいいでしょう。ですから、安くて利回りが高いからと、安易な意思決定をしないこと、そして中長期で考えたときに政策の流れで不便になるようなエリアの物件を買わないことです。

コンパクトシティのコンセプトでは、病院も一定の狭いエリアに集中させますので、郊外にポツンと病院が建っているようなこともなくなっていきます。生活インフラから遠く離れた住宅は非常に住みにくくなるため、そうすれば賃貸の需要も売買の需要もなくなるでしょう。

ですから、「地方の駅から徒歩30分」という物件は、くれぐれも慎重に検討するようにしましょう。

▼行政の方向性と逆に進むのは、逆張りではなく「ギャンブル」

本書のなかでは、よく「逆張り」という言葉が登場します。わたしが考える逆張りは、あくまでも「マインド」に対するものです。

つまり、「見栄えのいい、キラキラした物件」ではないところで不動産投資を考えていく、と

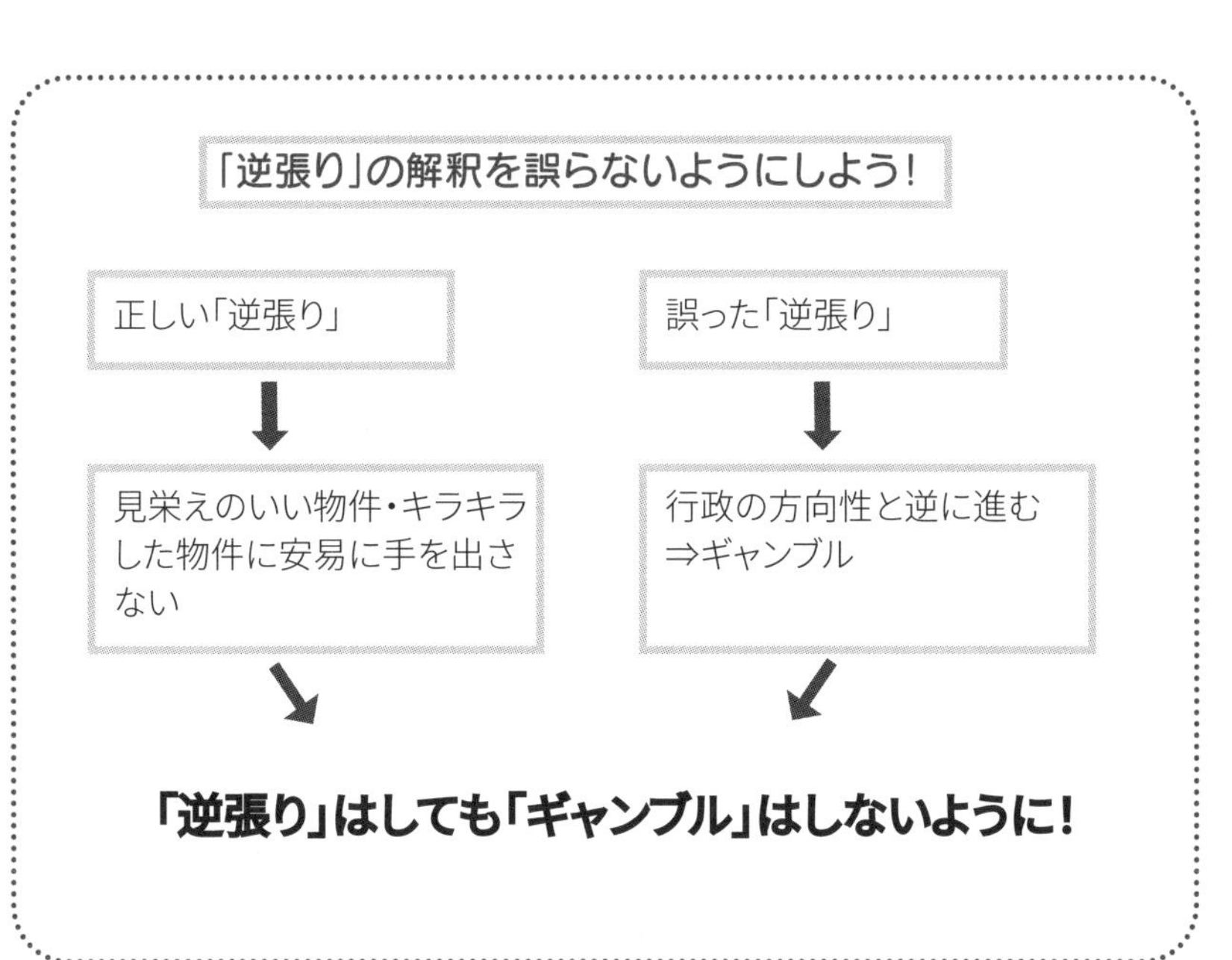

いう意味です。

行政の方向性と逆に進もうとすれば、それは逆張りではなく「ギャンブル」でしょう。わたしの考えは、「逆張りはしても、ギャンブルはしない」ということです。

前にお話しした通り、行政区に資金力ややる気があるかどうかが不動産投資においては非常に大切です。

また、不動産投資は中長期で考えるものなので、行政の方向性を見ておかなければ長続きしません。

コンパクトシティに限らず街づくり全般も含めて、政府の政策をきちんと見ておくべきでしょう。

5章

不動産投資のリスクを考える～Q＆A～

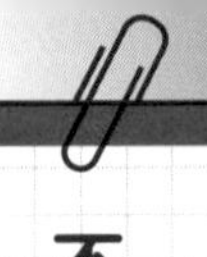

不動産投資の「リスク」は「見える化」しておけば怖くない

▼不動産投資の2大リスク、「インカムロス」「キャピタルロス」は把握できる

本章は終章として、不動産投資について多くの人が考える疑問点を、Q＆Aで解説していきます。

Q＆Aに入る前に、まず不動産投資における「リスク」のポイントをお話ししておきたいと思います。リスクが怖い理由は、「見えないから」です。「見える化」しておけば、決して怖いものではありません。

そもそも不動産投資のリスクには、大きく2つあります。

ひとつ目はインカムロス。つまり将来的に家賃が下がって損をするリスク、または入居者がいなくなって賃料が入ってこないリスクです。

そして2つ目が、キャピタルロス。物件の値下がりによって売却損を被るリスクです。

インカム、つまり将来的に家賃がいくらになっていくかは、ＳＵＵＭＯといった有名なサイトを見れば「見える化」できます。

いま築25年の物件を持っているとして、同じエリアの築50年の物件を検索すれば、25年後にはどの程度の賃料に向かっていくのかを把握できます。

キャピタルについては、その物件に内包される土地の比率を見れば把握できるでしょう。

たとえば、建物がおんぼろな1億円の物件があり、建物の価値は２０００万円、土地が８０００万円とします。この場合、土地部分の８０００万円が上がるのか下がるのかを、きち

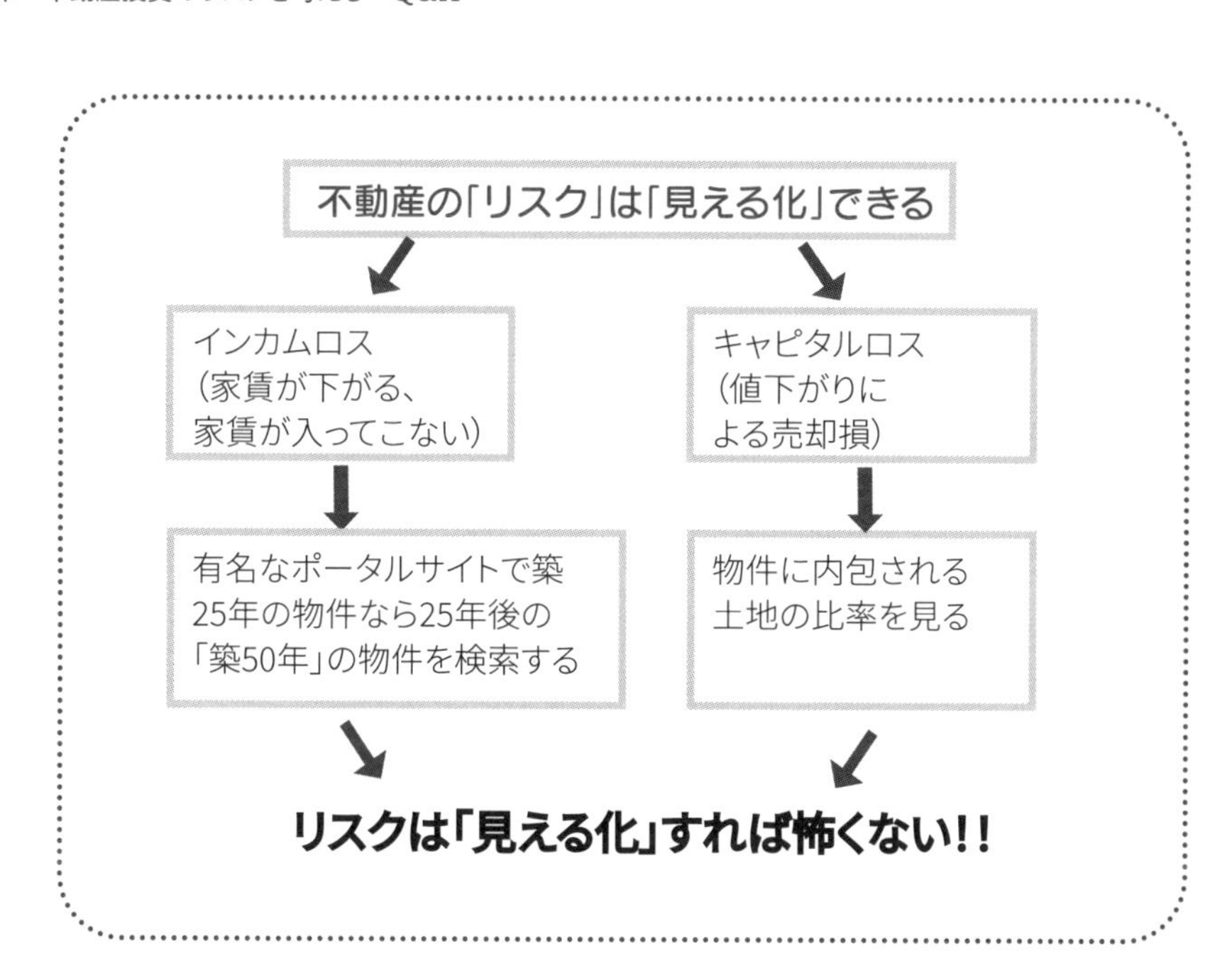

んと確認しておけばいいのです。

土地の価格が上がるのか下がるのかは、前にお話ししたように、物件所在地の行政力や人口動態といったものに影響を受けます。

わたしたちがそういったデータをじっくりと見ているのは、そのためです。情報に基づいてその地域の将来像をイメージし、予想を立てれば、何となくでもダウンサイドリスク（保有資産が損失を受ける可能性）を感じることができます。そうすれば、怖さはなくなっていくでしょう。

▼人は想定していないことが起こるかもしれないことに、怖さを感じる

そもそも、少なくとも南関東については、土地価格がいまよりも下がる可能性は低いと考えます。なぜなら、少しずつではありますが、イ

ンフレが進捗しているからです。大切なのは、いまの時点でいくらくらいの土地を持っているのかを把握しておくことです。

それをわかったうえで、「2000万円下がりそうだな」と予測していれば、怖いとは感じないでしょう。怖いと思うのは、予測もしていなかったなかで急に価格が下がったときです。

「リスク」という言葉は、一般的に「危険」ととらえられがちですが、金融の世界では「不確実性」という意味で認識されています。

予想もしていなかったことが突発的に起こるから、「リスクだ、怖い」と感じるわけです。

ですから、「見える化」しておけば、リスクではなくなりますし、怖いとも思わなくなるでしょう。「想定内です」ということで終わります。

不動産投資はほとんどの場合、需要と供給、つまり人口がいるかいないか、土地が余っているかいないかの2つだけで決まります。不特定多数の要因が絡まないのが、不動産賃貸業なのです。

ちなみに弊社の商品は、土地余りを起こしているエリアにはほとんどありません。また、人口が減っていくことは、南関東においては考えにくいといえます。ですから、人口減と土地余りのどちらも発生しないのではないか、と思えるわけです。

また、過去の取引や相場を把握しているので、想定される底値を開示したうえで販売しています。

▼自然災害のリスクは火災保険、地震保険で回避できる

なお、地震、津波といった自然災害が怖い、という人も多く見られますが、これは火災保険

や地震保険に加入することでリスクを回避することができます。台風による被害は、火災保険で対応可能です。

また、建物が毀損したときの物件価値を考えておけば、不安は少なくなるでしょう。

前にもお話しした通り借入の元本は年２％ほど返済するので、土地比率が80％であれば10年返済することで借入金が損益分岐点（土地の価格）を割り込みます。

土地比率が高ければ、建物が壊れても問題はないでしょう。

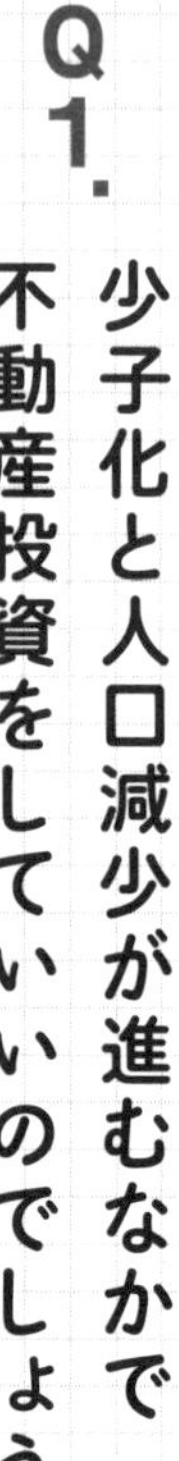

Q1. 少子化と人口減少が進むなかで不動産投資をしていいのでしょうか？

A1. エリアは限定されますが、もちろん「いいです」

「少子化と人口減少のなかで、不動産投資をしていいのか?」と尋ねられれば、答えはもちろんYESです。

ただし、エリア限定です。これまでにもお伝えしてきたように、日本全国どこでも不動産投資をしてもいいわけではありません。

南関東、つまり少子化と人口減少が進まないエリアを選ぶことが、妥当です。

日本人の人口は減っていく傾向にありますが、「日本国内に住む人」には外国人も含まれます。外国人も含めて、「住んでいる人」が減らないことが大切なポイントです。

世界人口は増えていて、なおかつ日本は世界一の治安とインフラを誇る国ですから、外国人居住者が減るとは考えにくいでしょう。

▼南関東はインフラが整備されていれば人口減少は起こりにくい

前にもお話ししましたが、南関東に関しては人口が減少しても、じつはたいした問題ではありません。なぜなら、南関東の人口密度は世界有数だからです。

東京の人口密度は、上海、北京、広州に次いで世界4位というデータもあります。よく欧米の人から、「日本の住居は猫の額だ」と揶揄されるくらいです。

もし人口が減ったとしても、隣の人とのフィジカルディスタンスが改善するだけのレベルと

また、**多少減ってもインフラと仕事があれば、心配することはない**のです。

いえます。

都市機能や都市インフラが整備されているうちは、人口が縮小しても大きな影響はないと考えるのが妥当でしょう。そもそも日本の人口が1億人を割るのは、２０５０年頃といわれていて、そこまでなだらかに下がっていく予測がされています。

いま日本国内には２９０万人の外国人が住んでいて、現在はコロナの影響で若干減ってはいますが、基本的に年間10万人ずつ増えてきました。

これによって日本在住者の純減に歯止めをかけている状態です。そして外国人がどこに住むかといえば、基本的には首都圏です。

不動産投資のセオリーとして人口が減らないエリアを選ぶべきですから、不動産投資をするならやはり首都圏、ということになります。

Q2. 返済のリスクはどう考えておけばいいのですか？

▼A2. 首都圏の平均値（86％稼働）を返済額が上回らなければ、心配ありません

このご質問は、思ったように入居してもらえず、ローンの返済のために手持ちのお金を出すことを懸念してのものですね。賃貸物件の稼働率を見ていただければ、安心できるでしょう。

統計局が発表している首都圏の賃貸住宅の平均稼働率は、86％です。極端な話をすれば、この86％の入居者から受け取る賃料を返済額が上回らなければいいわけです。

元本と利息の返済額を86％以内にして、賃料がそれを上回るような設定で計算をしておけばいいということになります。

そもそも統計局のデータにおける「首都圏」には、不動産投資に適した地域のもっとも外側のラインである圏央道や国道16号線の外側も含まれます。いわゆる自然に恵まれたエリアも含めて、86％が稼働しているのです。

圏央道や国道16号線の内側は基本的に、行政が充実していて人口も多いエリアなので、平均で95％以上稼働していると考えていいでしょう。

管理会社を使わずに自主管理をしたために入居づけがうまくいかず、86％という稼働率まで下がってしまったようなときでも、賃料が返済額を上回っていれば、まったく問題ありません。

ちなみに弊社がシミュレーションをする際には、サブリース（不動産管理会社がオーナーからアパート1棟を借り上げて、それを入居者へ

ローン返済のリスク
（空室による「持ち出し」が心配……）

首都圏の賃貸住宅の稼働率は86％
（行政が充実し、人口が多いエリアは90％以上）

賃料の85％を返済額が
上回らなければ心配なし!!
（地方都市なら5～7％下げて計算）

貸す形態）を利用したときを想定して率を設定します。家賃を100として、85％で借り上げたときにもキャッシュフローが回るのであれば、商品化しています。85％は、首都圏の稼働率とほぼ同じです。

もしご自身で考える場合、南関東の人口や物件の供給が安定した地域であれば、90％で試算してもいいのではないでしょうか。

もし地方都市であれば、そこから5～7％ほど下げればいいでしょう。

▼不動産投資における借金の返済原資は「家賃」であることを忘れずに

「返済のリスクはどう考えておけばいいのか？」という疑問のなかには、おそらく「借金自体が怖い」という気持ちがあるのではないでしょうか。

ただ、不動産投資におけるリスクは「自分でいくら返さなければならないか」ということです。

たとえば毎月の元利金返済が50万円として、稼働率が85％になったために55万円の家賃収入になったとします。その場合でも、５万円のキャッシュフローが出ているので、自腹を切る必要はありません。

「そもそも、借金の返済は誰がするのでしょうか？」この質問をされたときに、「債務者です」と答えるのは、もちろん正解ではあります。でも不動産賃貸業は、先ほどお話ししたように、厳しい条件を設定したときでも家賃収入が返済額を下回らなければ、「賃借人」が返済していることになります。

これは、本人が返済原資をつくらなければいけないような負債ではありません。

最終的な責任の所在はもちろん債務者になりますが、債務者が訴求されているような風景をわたしは見たことがありません。債務者が直接自分の給料から返済しなければいけない状況は、そもそも発生しないはずなのです。

ですから、不動産投資においては「自分が負債を返済する」と考える必要はありません。むしろ、夫婦共働きで1億円以上の住宅ローンを組んでいるほうが、よほどリスクが大きいでしょう。

たとえば1億3０００万円のローンを35年返済で組めば、月々の返済が40万円近くになります。「自分も働いているし、妻の収入もあるから、がんばってローンを返済しよう」と考えていますが、返済原資は債務者が働いたお金で拠出することになります。

一方で不動産賃貸業は、債務者であるオーナー

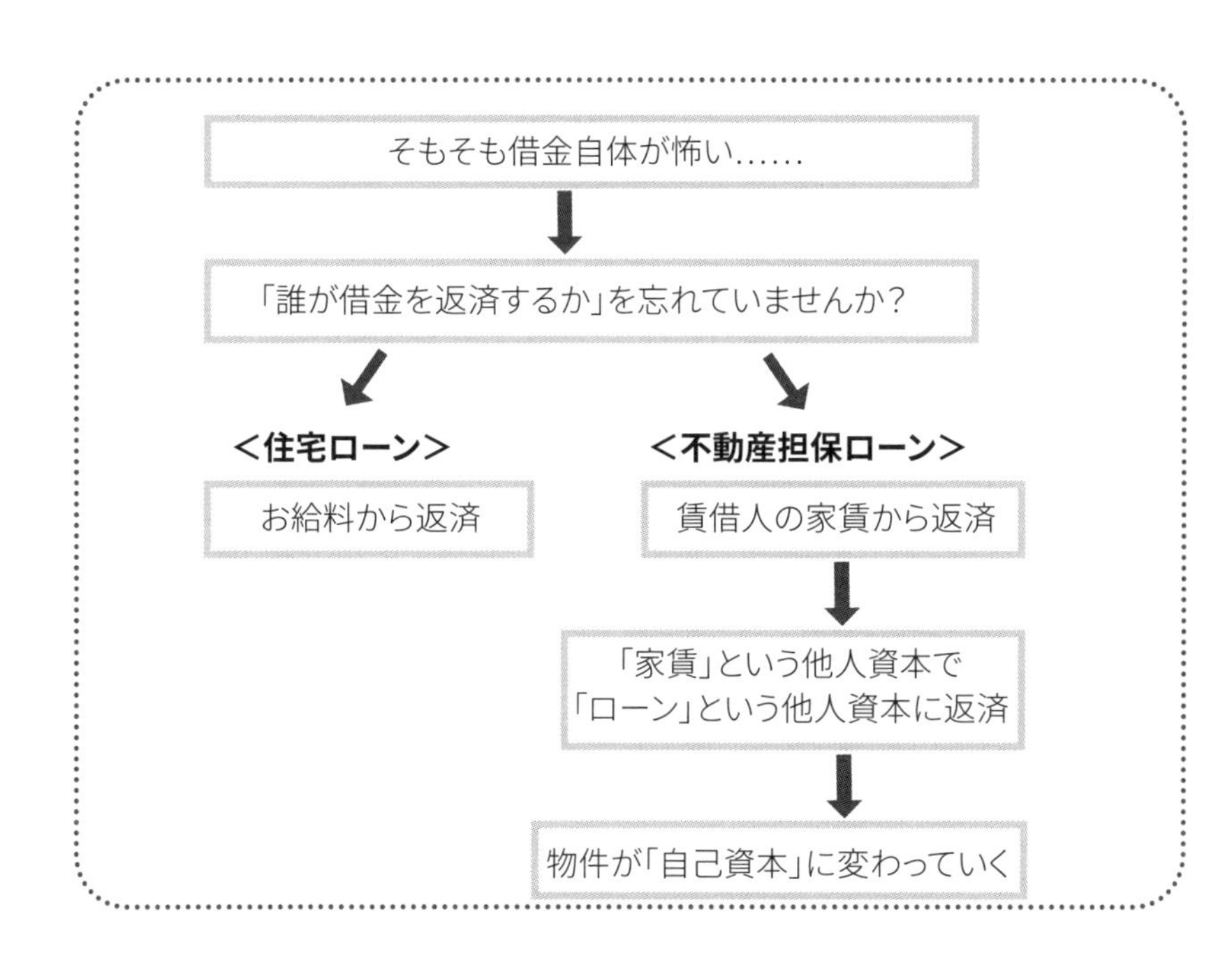

が働いても働かなくても、居住者が返済原資を払ってくれるというのが基本的な考え方です。

５〜６億円という多額のローンを組んでも、「家賃」という他人資本で、「ローン」という他人資本に返済する図式であり、やがて物件自体が自己資本へと変わっていきます。

借金が怖いからといってダウンサイズしては、資産形成の助けにはならないので本末転倒です。

「不動産投資のローンは賃借人が返済するもの」と頭を切り替えられるか、もしくは不動産賃貸業における借入をリスクと思わない気持ちでいられるかが、不動産投資におけるマインドセットにおいて非常に大切なところといえるでしょう。

Q3. 外国人、所得の低い人に貸しても大丈夫ですか？

A3. 誰が入居しても家賃滞納率は変わらないので、大丈夫です

外国人や所得の低い人が入居することで、家賃の滞納が発生することを心配している人は少なくないでしょう。でも、大丈夫です。

弊社のデータによれば、2ヵ月以上家賃を滞納する人の率は0・3％です。弊社では2000室ほど貸していますが、2ヵ月連続で家賃を滞納する確率は0・3％しかありません。本当に少数といえます。

ちなみに弊社の管理する物件には、外国人や所得の低い人が多く入っています。裏を返せば、所得の低い人が入るような物件は、家賃を払えなければ退去しなければならないため、ホームレスになるかならないかの最後の砦なのです。

ホームレスになるよりは、屋根があったほうがいいですし、扉があって、プライベートな空間を持てるほうがいいでしょう。寝ている間に物を盗られたりすることもありません。

▼所得が低い人向けの賃貸物件は、居住期間が長くなる傾向も

賃貸住宅に入居する際には、審査を行い、「人」のチェックを行います。ところが、審査の厳しいワンルームマンションであっても、一定の家賃滞納は発生しています。じつは、滞納の発生率はそれほど変わらないのです。

もちろん、家賃20万円以上の高級クラスのマンションであれば、滞納発生率は著しく低くなります。でも、いわゆる一般のワンルームマン

ションは、若い人、つまり家賃に対して所得がまだ低めの人が住むことが多いのです。

たとえば、年収４００万円くらいの人が10万円近い家賃を払っている状況は、家賃負担は軽くないでしょう。

でも、都内にお勤めで、オシャレな物件に住みたいということで、がんばって家賃を払っている人も少なくありません。そのような人たちは、年収が上がればもっといいところに住みたくなりますし、逆に下がれば住めなくなるので、引っ越しをする率が高いのです。引っ越しをする「ゆとり」のある人たちであるといえます。

一方で、所得の低い人が入るような物件に住んでいる人たちは、「場所もいいから、多少おんぼろでも住み続けたい」ということで、引っ越しが現実的ではない人たちが多いといえます。

このような物件に住む人たちも、家賃の滞納率はあまり変わりません。むしろ、入居期間が若干長くなる傾向がありますので、家賃収入がより安定することが期待できるでしょう。

住む人によって家賃のトラブルが大きくなるということはありませんので、安心してくださいね。

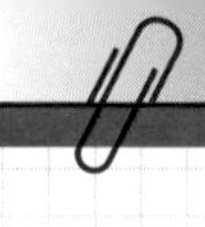

Q4. 中古物件は、修繕費が大変ではないでしょうか？

A4. キャッシュフローを毀損させるほどの修繕費がかかることはありません

中古物件を買うと、修繕費がかさんで賃貸経営を圧迫してしまうのでは……という心配を持つ人も多いでしょう。

でも、新築で買ったとしても、10年後には建物のメンテナンスが必要になります。中古だからといって、著しく修繕費が高くなるということはないと考えてかまいません。

ちなみに弊社が売主となる物件は、メンテナンスをしてから引き渡していますし、引き渡しから1年間はエアコンやキッチン、給湯器といったものに保証をつけています。

ですから弊社のお客様は、初年度の持ち出しがまったくありません。初年度の持ち出しがなければ、50万円や100万円、すべてキャッシュフローとして貯めることができます。

そもそも、その50~100万円のキャッシュフローを毀損させるほどの修繕費が毎年かかるかといわれれば、そんなことはありません。中古も新築も、ある程度の築年数を超えれば、修繕費の負担はほとんど変わらないのです。

1棟物件の場合、一番修繕費が大きいのは外壁です。もちろん弊社が売主の物件は、外壁も修繕したうえで引き渡しますので、当分は心配はいりません。それ以外のものは、細々とした修繕です。

たとえば水まわりでユニットバスが壊れたとしても、交換しなければならないような事象はあまり起きないものです。

▼外壁のチェックポイントを知っておこう

不動産会社が売主となる物件については、ある程度の修繕を施してもらったうえで引き渡してもらえるので、安心感があるでしょう。でも問題は、仲介物件を買う場合ですね。

中古物件については、やはり外壁の傷み方だけはきちんとチェックするべきでしょう。弊社が購入のために物件を見るときは、数十項目を細かくチェックしていくのですが、一般の人はそこまでは難しいでしょう。ここでは、外壁を見るときのポイントをお伝えします。

木造でも鉄骨造でも、鉄筋コンクリート造であっても、外壁にとっては「水」が最大の敵です。ですから、水が入ってこないかどうかをチェックすることが大切なのです。

たとえば、サイディング（外壁の外側に取り付けられる保護材）に触ったときに手が白くなる物件は、サイディングボードが傷んでいる状態といえますので、塗装をしたほうがいいでしょう。

また、サイディングボードの継ぎ目に充填されているコーキングを触ったときにプニプニしているかどうかをチェックしましょう。もしコーキングがひび割れている場合には、そこから水が入ってしまいます。外壁が傷んでいなくても、コーキングがひび割れていれば、修繕が必要な時期ですので、少なくとも1～2年以内に修繕をしたほうがいいでしょう。

ちなみに弊社が売主になる物件であれば、ここは確実に塗装をしてお渡しします。購入後に予想外の修繕費を拠出することにならないよう、事前にしっかりチェックしてくださいね。

Q5. 退去されるのが怖いのですが……

A5. 南関東の賃貸に適したエリアは90％以上稼働するので、怖がらなくても大丈夫です

賃貸経営で怖い要素のひとつは、賃借人が退去をして空室になることですよね。

ただ、前にお話しした通り、南関東の賃貸に適したエリアにおいては、空室率はある程度計算ができます。

基本的に、入居率が90％を割り込むほうがレアケースと考えていいでしょう。もちろん、持っている物件すべてが満室、ということもありません。

とにかく、キャッシュフローさえプラスであれば、怖がる必要はないのです。管理会社がついていれば、退去されてもすぐに入居づけをしてくれるはずです。

ただし、滅多にいないとは思いますが、自主管理をしている人は、きちんとした管理会社やその道の専門家に依頼するのが基本でしょう。

もちろん、退去されるのが怖いという気持ちもわかります。でも、すべての物件が常に満室で稼働することもありませんし、逆にすべてが空室になることもありません。

90％台で稼働するのが妥当である、とラクに考えればいいのではないでしょうか。南関東の賃貸物件の稼働率を考えれば、それほど神経質にならなくても問題ないので、退去されることを怖がる必要はありません。

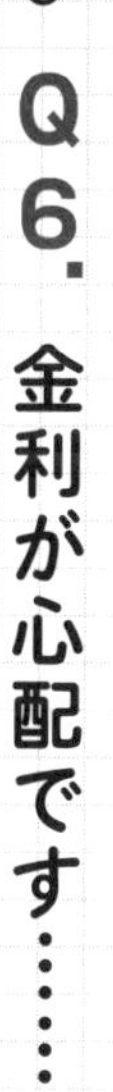

Q6. 金利が心配です……

A6. 金利上昇してもキャッシュフローがプラスなら、心配ありません。不安なら、売ってしまうのも方法です

銀行のローンは基本的に変動金利なので、金利が上昇してローン返済額が上がり、キャッシュフローが縮小、もしくは逆ザヤになる心配はありますよね。

でも、金利が上昇局面では、その手前で家賃や物価の上昇が見られるはずです。そして、物価の上昇の最たるものが、土地であるといえます。ですから、家賃と土地が値上がりしているとすれば、心配することはありません。

そもそもわたしたちはインフレ対策を意識して不動産投資をおすすめしているので、むしろ金利上昇局面というのは、もちろん心配な気持ちになるかもしれませんが、歓迎していいところでしょう。

▼金利は30年間変わっておらず、上がっても返済額が跳ね上がるわけではない

ここで、変動金利ローンの金利についてお話しします。不動産投資のためのローン金利は、1%台後半から3%後半くらいのレンジになっています。「短期プライムレート（短プラ）」という銀行業界の金利をベースにした基準金利があり（いまは2・475%）、ここから銀行の与信判断で優遇金利分を差し引く、もしくは金利を上乗せする形でローン金利が決まります。

変動金利なので、短プラが変動すればローン金利は上下しますが、短プラ連動の変動金利は「もう上がるだろう」と言われてきた30年間でした。

わたしが会社員として住宅の営業をしているとき、短プラ連動の都銀の住宅ローンをたくさん扱ってきました。お客様からは、「来年には金利が上がるんじゃないですか？」と言われることも多かったのですが、「それはさすがにわかりません」と言っていました。それがいまから十数年も前です。

つまり、20年以上前の時点から十数年、基準金利の2.475％は変わっていないことになります。

もし金利が上がる局面があるとすれば、一瞬だけ「スタグフレーション（不況時に物価が上がる現象）」が起こることは考えられます。

ただ、その時点で売却さえしなければ、たとえ金利が上がっていたとしても損失確定にはなりません。

また、15％の空室率で見ていたとしても数万円の利益が出ている状態であれば、心配はないでしょう。

さらに、5～10年と賃貸経営をするなかで金利が上昇したとしても、返済額が急激に上がるようなことはありません。

なぜなら、借入元本がフルに残っている状態ではなく、返済をして元本自体が少なくなっている状態だからです。金利上昇をしたとしても、返済額が跳ね上がるわけではありません。

▼金利上昇が起きて不安になったら、売ってしまうのもひとつの方法

金利の上昇を過度に心配して収益物件の購入

に尻込みする必要はありません。

「金利が上がっているときには、土地も値上がりしている」と考えればいいのですし、スタグフレーションが起きても、損失確定をしなければいいだけです。そのまま保有しておきましょう。

そもそも、金利が上昇してもキャッシュフローがプラスであるにもかかわらず、あえて売却をする必要性は低いでしょう。

金利の上昇が心配であるという気持ちはわかりますが、過度に不安を感じる必要はありません。

投資用不動産の長期保有で債務不履行になっている人は圧倒的に少ないのですが、そこにはきちんとした理由があるのです。

収益不動産の場合は、住宅ローンと違って自分が住んでいるわけではないので、意地でも維持しなければいけない理由はありません。

ですから、インフレになって金利が上昇し、どうしても不安であれば、物件価格が上がっているときに売却してしまうのもひとつの方法です。

5億円分の不動産を持っているなら、たとえば1億円分を1億5000万円で売ってしまってもいいでしょう。

Q7. 何棟所有するのがいいですか？

A7. 「1棟以上」を所有しましょう

不動産賃貸業を行っていくうえでどれだけの物件を持てばいいのか。

これは、答えが明確です。「1棟以上」を所有しましょう。

「1棟だけでもいいのか？」と追加で質問をいただく可能性もありますが、「最低でも1棟」です。

区分マンションを2室買うくらいであれば、1棟の物件をひとつ買ったほうがいい、ということです。複数の物件でリスクを分散し、あるいは相乗効果を狙うのが正しいやり方でしょう。

つまり、何棟所有できるかを計算して、その計算どおりに進めていきましょう、ということです。そして、それが1棟以上であることが重要なのです。

もっとも、人によって何棟持てばいいか、どれだけの資産を持てばいいのかは違います。

ビギナーレンジ、ミドルレンジ、セミプロというふうに区分けすれば、それぞれに適切な棟数が出てきます。きちんとリサーチをしたうえで、不動産会社と話し合って決めていきましょう。

Q8. レインズや競売に出される前に優良物件を買うには？

A8. 常に買う意思を表明し、実績があり、銀行を味方にしている人であれば、出合えるかもしれません

このご質問は、「市場に出回っていない未公開物件や競売物件を割安で買いたい」ということですね。

たしかに、すでにインターネットなどでオープンになっている情報から購入しようとすれば、投資家の意思決定やローン審査で時間がかかってしまい、その時点でほかの人に決まってしまうことが多いものです。

オープンな仲介物件を買おうとしても、なかなか取得することはできません。与信審査が終わる頃には、もうその物件はない可能性が高いからです。

ちなみに弊社が扱っている物件はすべて公開していないので、わたしたちのお客様にしか提案していません。ほとんどの物件が、レインズや競売に出される前のものです。

このような未公開物件を紹介してもらうためには、「ほぼセミプロ」の状態になっておく必要があるでしょう。セミプロのように背後に銀行がいて、情報をもらってから半日以内に意思決定ができる場合は、売主にメリットがあるので、情報が入ってきます。

ある程度資金があって、買う意思を積極的に表示している人には、そのような物件が行く可能性があると考えましょう。

▼掘り出し物の物件を待つより物件を増やして実績をつくっていこう

「掘り出し物の物件を、割安で買いたい」という気持ちは、どの投資家の人も持っているでしょう。ただし、そのような物件をずっと待っていては落とし穴にはまってしまうことも理解しておきましょう。

たとえば、「いつか来るかもしれない物件」を5年待っていては、投資効率が悪くなります。

なぜなら、ただ5年割安物件を待っているより、いま購入して5年間返済したほうが、5年後に購入するよりも10％割安になっている可能性が高いからです。前に、「ローンの元金返済率は毎年約2％」という話をしました。ですから、いまの時点で買っておけば、5年後には元本が10％減っていることになります。1億円で買ったものが9000万円になった、と考えられるのです。

5年後に物件の相場が10％下がっているかといえば、下がっていない可能性が高いでしょう。物件が10～15％下がるのは異常事態であり、リーマンショックのようなことが起きている状態と考えられます。マーケットの縮小が起こっていて、金融も回っていない状態です。

3年後に10％安くなっているかどうかもわからないのに、3年待っているほうがもったいないと思いませんか？　また、10％安い物件が3年後に出るとすれば、マーケットの縮小が起こっているということです。つまり、リーマンショックのようなことが起きている状態と考えられます。

リーマンショックの直後には、あらゆる不動産業者が資金調達できなくなりました。そのようなときに、果たして資金調達ができるでしょ

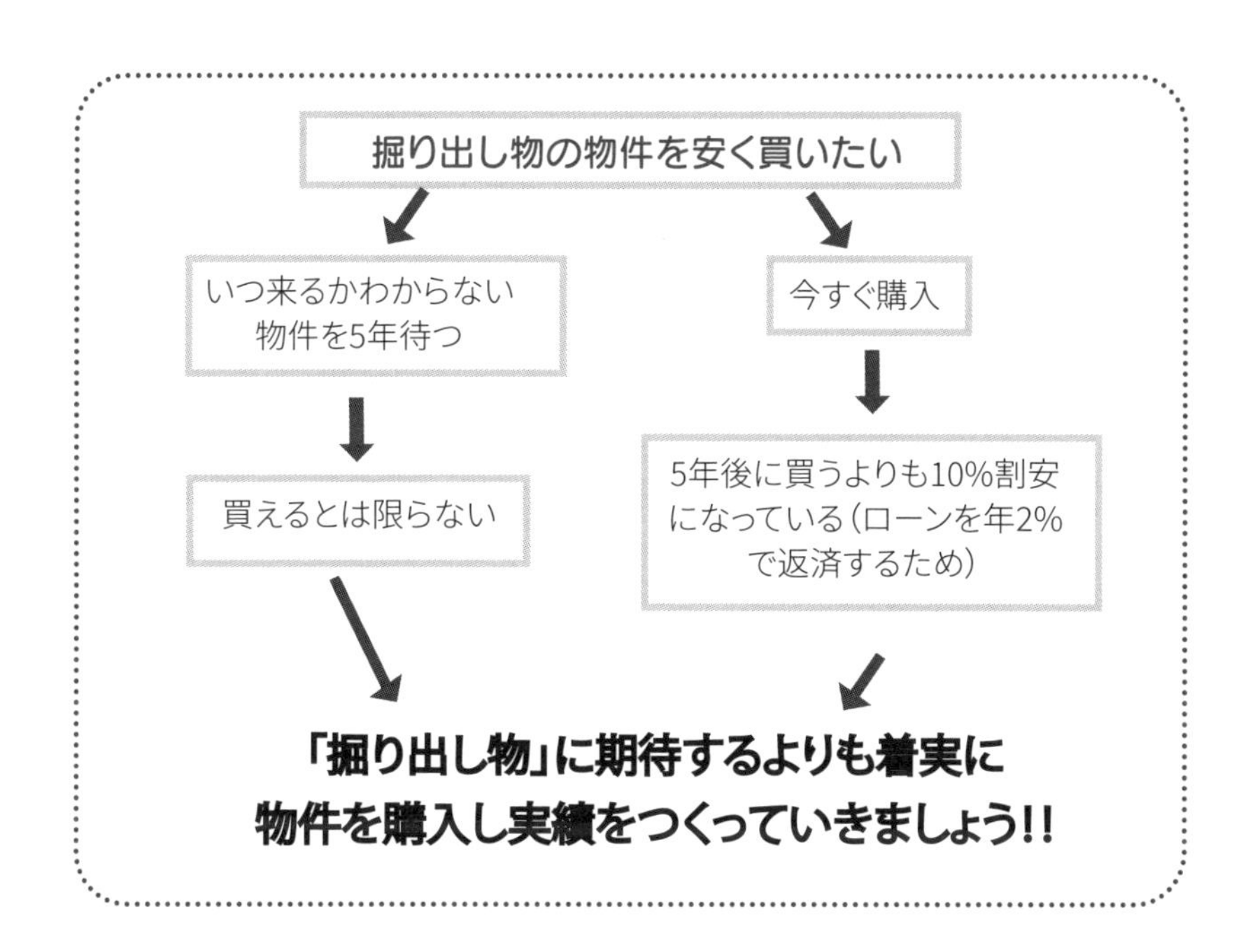

うか。

答えは「ＮＯ」である可能性が高いでしょう。5年後に10％安くなっていることを期待して待っているほうが、もったいないといえるでしょう。

常に不動産業者に対して買う意思を表明し、購入実績をつくり、銀行を味方にしている人であれば、未公開物件に出合えるかもしれません。ただし、基本的にはそのような物件が出てくることを期待せず、着実に物件を購入し、実績をつくっていくことをおすすめします。

Q9. 年収に対して、融資の割合はどれくらいまで考えておけばいいのでしょうか？

A9. 借りられる金額は、年収の15倍が目安。返済比率は基本的に気にしなくていい

このご質問には、2つのポイントがあります。まずは、年収に対して何倍のローンを借りることができるのかということ、そして2つ目は、年間の返済を収入の何％以内に抑えればいいか、ということです。

まず、「年収に対して何倍までローンを借りられるのか」ですが、住宅ローンであれば、基本的に年収の7倍まで借りられるといわれているのに対して、アパートローンの場合は10～15倍が目安になります。ですから、年収1000万円であれば、最大で1億5000万円まで借りられる可能性があります。

次に、年収に対する返済額の比率です。いわゆる返済比率（年間返済額／年収）のことですね。この返済比率については、アパートローンの場合は気にする必要がありません。

あくまでも返済比率というのは、返済原資を「自分の収入」に置いたときの話です。でも、前にお話しした通り、アパートローンの返済原資は賃借人から受け取る家賃です。

ちなみにメガバンクでは収益不動産のローン審査において、70％の稼働率を想定してあえて逆ザヤにし、そのときに本人に支払い能力があるかどうかをチェックすると聞いたことがあります。でもメガバンク以外のローン審査では、このような過剰とも見えるストレスはかけないことが多いです。

つまり、基本的には賃料でその事業が賄えていればいい、と考えているということであり、年収は重視されないのです。

最大で年収の15倍くらいまでは借りられる可能性が高いのは、そのためです。住宅ローンとは異なり、ご自身の給与で返済することのウエイトは非常に低いと考えていいでしょう。

▼ルールを守って投資すれば、自腹でローンを返済する事態にはなりにくい

ちなみに弊社の実績では、ご自身の給料を不動産賃貸事業に拠出しなければならない状態の人はひとりもいません。

それは、わたしたちの物件が優秀であるということではありません。ある程度ルールを守れば、「自分の給料から返済する」という事象が起きる可能性は非常に少ないからです。

ルールというのは、一番大切なのは「スプレッド差」、つまり借入金利と期待利回りの差です。

このスプレッドが４％を割り込む状態、たとえば調達金利が２％、期待利回りが６％で25年のローンを組めば、逆ザヤになりやすくなります。

同じスプレッドでも、借入期間を30年以上にすれば、逆ザヤにはなりにくいでしょう。物件の売却のイメージさえしていれば、リスクは発生しにくいといえます。

Q10. 不動産を持つなら、法人と個人、どちらが有利ですか？

A10. 状況や市況に合わせて、専門家も交えて検討しましょう

不動産賃貸業をするにあたっては、法人がいいのか、個人がいいのかというご質問を、よくいただきます。

このご質問に対する答えは非常に悩ましく、一概に答えにくい部分があります。

なぜなら、「有利」のポイントが、人によって違うからです。「たくさん持つためにはどちらが有利か」を知りたいのか、「節税するためにはどちらが有利か」を知りたいのか、「キャッシュフローのためには？」「ローンで長く借りるには？」……というように、ポイントがたくさんあるのです。

また、法人と個人のどちらがローンを借りやすいのかについても、ご本人の属性や銀行の姿勢によって変わってきます。

金融機関によって、「法人でも対応できます」「法人ならいけます」というふうに、対応はさまざまです。ローンについては、アレンジをしてくれる不動産業者と相談するのがいいでしょう。

「将来的には資産管理会社で不動産資産を持つ」というのが不動産保有業の出口であると、わたしは考えているのですが、節税やローンのことを考慮すると、スタート時はかならずしもそうではないともいえます。

ですから、不動産賃貸業を進めていくなかで、そのときの状況や金融の市況に合わせて、専門家も交えて検討することをおすすめします。

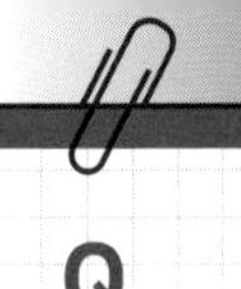

Q11. 不動産を購入すると節税効果がありますか？

A11. 節税効果が大きい物件もありますよ

これまでに、収入が高くないうちは、節税よりも優先したほうがいいことがありますよ、というお話をしました。ただ、ステージによっては戦略的に節税効果が大きい物件を持つのもいいでしょう。

物件によっては、節税効果の大きいものがあります。

たとえば、南関東でも少しマイナーな方面へ行けば、坪単価20万円くらいのエリアがあるはずです。坪単価20万円で50坪の土地、つまり1000万円で、販売価格が5000万円であれば、建物部分は4000万円の評価です。

なおかつ、上物が法廷耐用年数の切れている木造の物件であれば、購入後に4年で減価償却します。つまり、年に1000万円の減価償却費を計上できることになるのです。

この5000万円の物件の利回りが年10％であるとすれば、家賃収入が500万円なので、4年間はそれぞれの年に500万円の課税所得を落とすことができるのです。

仮に課税所得が2200万円の場合、所得税率が40％なのですが、500万円所得を落とすことで、1700万円という下のレンジになり、所得税率が33％になります。この場合、課税所得が2200万円から1700万円になるので、880万円の納税が561万円となって、

節税効果の高い物件

・物件価格…5000万円
⇒土地1000万円・建物4000万円
・法定耐用年数の切れた木造物件

4年で減価償却
（年1000万円の減価償却費）

万人向けではありません
（しっかり火災保険や地震保険に加入しましょう）

約320万円の節税を叶えることができます。

これが、節税効果のある物件です。万人におすすめの方法ではありませんが、投資家の状況によっては、おすすめ物件となり得るでしょう。

土地比率の低い物件なので、建物を失う可能性も想定し、火災保険や地震保険にしっかりと加入しておいたほうがいいでしょう。

Q12. 融資を受けやすくなるためのポイントと、これからの銀行の不動産担保ローンはどうなっていくのかを教えてください！

A12-1 年収が高い人、自己資金がたくさんある人は、融資を受けやすい

有利な条件を得やすい条件は、年収が高い人、自己資金をたくさん持っている人、ということになります。

ですから、年収が2000万円超、資産（現預金だけ、もしくは現預金と不動産を合算、あるいは不動産資産だけ）が3000万円超の人は、いま不動産投資を検討せずにいつするのか、というレベルでしょう。

このような属性の人であれば、住宅ローンであれば銀行から神様のような扱いを受けるでしょう。でも、収益不動産マーケットにおいては、このレベルでもまだまだ低いほうなのです。

言い方に語弊があるかもしれませんが、「属性は合格です。条件が合えば、融資します」というレベルです。これは、いまの銀行の住宅ローン、不動産担保ローンへの取り組み姿勢を物語る話といえるでしょう。

A12-2 これからの不動産担保ローンは、中古は不安定、新築は小拡大

最後に今後の不動産担保ローンに対する銀行の取り組みについて、わたしの見解をお話しします。

まず、中古の収益物件に対する不動産担保ローンは、ここ数年不安定な状況、つまり「銀行によってまちまち」という状況が続くでしょう。

そして新築のアパートローンは、現状維持もしくは「小拡大」という流れになると思われます。

なぜ中古の収益物件に対する融資が不安定になるかというと、融資をしてくれる銀行の数が圧倒的に少なく、不動産に対する評価の仕方が、新築誘導という文化になっているからです。

「住宅ローンの派生商品」として個人投資家の財務レベルを見ているために、住宅ローンが目安になってしまうのです。

大きなポイントは、「法定耐用年数」を非常に気にすることです。

法定耐用年数はあくまでも税務申告で必要な数字であり、建物の実際の寿命とは別のもののはずです。ところが、その税務申告ベースの評価が軸になってしまっているために、古い物件は融資を出してもらいにくいのです。

一方で、新築物件も現状維持、もしくは小拡大でしかないのは、資材価格が高騰していて、建築費と家賃のバランスが崩れはじめているからです。つまり、家賃相場が上がっていかなければ、大きく拡大してはいかないでしょう。

家賃が上がるためのポイントは、ベースアップです。ベースアップがなければ、賃借人の家賃への支払い能力は上がらないので、家賃も上げられません。つまり、建築コストと家賃が合わないために、追加の供給がしにくい状況といえます。大きく拡大しないと思うのは、そのためです。

話は中古物件に戻りますが、新築物件への融資が渋いのに中古の収益物件に融資をしてくれる銀行が少ないために、その銀行の貸付残高が目標値に達した場合、銀行がマーケットからいなくなってしまいます。ですから、資金供給が不安定になるのです。

▼中古投資不動産への融資が増えれば、マーケットは拡大する

個人的な希望としては、銀行の体制が変わり、中古の収益物件への融資に対して積極的になってほしいと思っています。

そうすれば、従来の「スクラップ&ビルド」の体制から、不動産事情も変わっていくことでしょう。

そもそも、なぜ中古物件が融資対象になりにくいのかといえば、住宅ローン減税が築25年未満でなければ受けにくかった、という背景もあったでしょう。これは、築浅を優遇し、築古は壊して新しいものをつくることを奨励しているようなものでした。

この考え方は、いまとなっては時代に合わないでしょう。

また、日本の古来からの文化には、「古き良きもの」を大切にメンテナンスしながら使いましょう、というものがありました。

この基本に立ち返れば、中古のアパートももっと長く使えるという考えが根付いていくでしょう。

その流れで融資の実行数が増えれば、中古収益物件のマーケットが拡大していく可能性もあります。

そのような流れを察知してか。2022年から住宅ローン減税の要件が改正されて、築25年以上の物件も適用されやすくなりました。これを契機に、築古の収益物件に対する銀行融資が拡大していくことを、個人的には非常に期待しています。

おわりに

この度は、『絶対に損をしない不動産投資の教科書』読んでいただき、あるいは手に取っていただき誠にありがとうございます。

私が本を出すとは思ってもみなかったので非常に感動してます。

初めての出版に際し、わからないことが多い私に様々なお手伝いやアドバイスをしてくださった出版関係者の方々、誠にありがとうございました。

この本を出すきっかけになったのは、2021年とある収益不動産のポータルサイトのセミナーで、日本一申し込みの多かった人気セミナーになったと連絡を受けたことが大きいです。

私の知識や経験、ノウハウや情報等をたくさんの人が必要としてくれていて、中には何度もセミナーに参加してくださる方もいるということを聞きました。

不動産の投資マーケットは、時代とともに変化しています。

少し前まで、不動産投資の中で最も有名なものはワンルームマンションの投資ではないでしょうか？

しかし最近では一般の方でも新築や中古問わず一棟の物件が買えたり、中には事務所や店舗なども個人投資家が取得をしています。
不動産投資が多様化していく中で、初めて不動産投資をしたいと考える投資家が直面する問題は、自分自身が投資を開始するときに何を考えるべきかで悩んでいることが多く、なかなか物件の取得までできていない人が多いです。

本書では、私が普段セミナーで話す内容のベーシックなことをできるだけわかりやすく書いたつもりです。内容を一度読んでわかってもらえるように心がけましたが、私の表現力不足でわからないことがあれば直接聞いてください。

少しでも、不動産によって安全に財産を構築できるよう、陰ながら祈っております。そして、この本をお読みいただいて取得のきっかけになるのであれば、すごくうれしいです。

2023年1月　高桑 良充

高桑良充（たかくわ・よしみつ）
カイロスマーケティング株式会社代表取締役。
城西エリアの住宅系販売会社でキャリアを開始。その後、CRE（企業不動産）戦略を提案する不動産会社にて、中小企業のコンサルテーションを行い、徹底した経済価値の観点で、不動産保有をすすめることで内部留保の拡大、本業以外の収益構造の構築により事業安定性や継続性の向上に貢献。そのキャリアをビジネスパーソンに活かすべく、カイロスマーケティングを創業。2,000人以上のビジネスパーソンから資産運用についての相談を受け、プラスのキャッシュフローを継続実現中。自身でも不動産運用をしており、投資家心理を理解し、投資家目線での提案が評判でクライアントの80％がサラリーマン兼業投資家。不動産投資の顧客リピート率は90％超。

絶対に損をしない不動産投資の教科書

2023年1月20日　初版発行

著者　高　桑　良　充
発行者　和　田　智　明
発行所　株式会社　ぱる出版

〒160-0011　東京都新宿区若葉1-9-16
03(3353)2835—代表　03(3353)2826—FAX
03(3353)3679—編集
振替　東京　00100-3-131586
印刷・製本　中央精版印刷(株)

ISBN978-4-8272-1368-3　C0033